影响世界的人

莫扎特

林淑玟 著　林丽芬 绘

译林出版社

图书在版编目(CIP)数据

莫扎特 / 林淑玟著. —南京: 译林出版社, 2013.10
(影响世界的人)
ISBN 978-7-5447-4475-1

Ⅰ. ①莫… Ⅱ. ①林… Ⅲ. ①莫扎特, W. A.(1756~1791)-传记-少儿读物 Ⅳ. ①K835.215.76-49

中国版本图书馆CIP数据核字(2013)第223247号

本书中文简体字版由联经出版事业公司授权出版, 原著作名《影响世界的人: 莫扎特》。

著作权合同登记号 图字: 10-2013-38号

书　　名	莫扎特
作　　者	林淑玟
责任编辑	马爱新
原文出版	联经出版事业公司
出版发行	凤凰出版传媒股份有限公司 译林出版社
出版社地址	南京市湖南路1号A楼, 邮编: 210009
电子邮箱	yilin@yilin.com
出版社网址	http://www.yilin.com
经　　销	凤凰出版传媒股份有限公司
印　　刷	江苏凤凰盐城印刷有限公司
开　　本	889毫米×635毫米 1/16
印　　张	11
插　　页	4
字　　数	105千
版　　次	2013年10月第1版 2013年10月第1次印刷
书　　号	ISBN 978-7-5447-4475-1
定　　价	25.00元

译林版图书若有印装错误可向出版社调换
(电话: 025-83658316)

导读

前台东大学儿童文学研究所所长
张子樟

这本莫扎特小传属于完整型传记，因为它把主角从出生到死亡的经过都描述得十分详尽，简洁但不松散，可以让小读者对音乐神童莫扎特的一生有完整的认识。如果再进一步分析，这本书亦属于“小说化传记”，作者为了使它更具趣味性，便安排书中角色彼此对话，甚至编造可信的情景，使其成为一种揣摩的营造情境。作者没有杜撰从未发生的情景或事件，只是思索种种细节，把特殊情景戏剧化，再加上书后附录的莫扎特歌剧浅介，使得这本书的可读性增加不少。

纵观莫扎特短暂的一生，我们可以从下面四点来讨论：父母的关爱、同侪的相互提携、恩主的脸色、短暂的婚姻。莫扎特的父亲从小提琴手、宫廷乐师到唱诗班的指挥，逐渐爬升，虽然力争上游，但能发挥的空间并不大，因此便把他对音乐的狂热完全寄托在莫扎特身上，所有的希望也全部落在莫扎特瘦小的躯体上。他不辞辛劳带着刚崭露音乐才华的莫扎特四处露面，与音乐同辈互动，并勤于奉承让他一家人得以温饱的主子。老莫扎特的一切努力，从某个角度来看，不妨视之为补偿作用，他自己一生无法达成的，全都寄望于莫扎特身上。莫扎特也乐于发挥自己的特长，虽然他的所作所为未能全部符合父亲的希望，但他已尽了全力，至少部分达成了他父亲的期望。

虽然莫扎特在贵族和掌权者的有限资助下，过着不甚丰裕的生活，但在追逐音乐成就的同时，却得到不少同侪的协助与提携。他前后得到舒伯特、老巴赫的儿子约翰·巴赫、马蒂尼、海顿等人的援助，他自己也不忘提携后辈，贝多芬也曾上门求教过。他与这些人互动，使得作曲与表演技艺精进。尽管如此，一家人的生活依然过得十分狼狈不堪，甚至连小康之家都谈不上。长年累月在欧洲大陆上奔走，希望求得出人头地的机会，只得牺牲正常生活。他甚至还跨过海峡，希望能在伦敦扬名立万。然而同侪都是音乐界人，能给予的往往是精神超过物质，因此几乎每个人都只能充当豪门贵族的仆人，以音乐取悦主人。

艺术家关心的是精神层次的提升，却深受物质生活的牵制。自有记录以来，作家、画家往往必须仰赖掌权者的豢养，音乐家亦是如此。老莫扎特把一生不如意化为力量，希望小莫扎特出人头地，为家族争光。他四处奔走，带着儿子进出每个国家的宫廷和贵族之家请求资助，在不同程度的挫折中生活下去。小莫扎特年轻气盛，常常无

法接受这些掌权者和贵族的脸色(例如大主教或国王)。虽然长辈一直劝他容忍,到最后他还是和他的资助者闹翻,生活因此过得非常困苦。这是当时所谓艺术家的实际写照,他们的发展空间与杰出的现代艺术家相差甚多,尤其在物质生活方面,更有天壤之别。

小莫扎特是个神童,对音乐十分狂热,除了物质生活的追求之外,到了适当的年龄,免不了对于异性有所需求,但他找的对象却不合乎老莫扎特的要求,因此父子之间的关系相当紧张。结婚后,孩子的诞生虽然添加了家庭的欢乐,但始终摆脱不了物质生活的匮乏,小莫扎特只好拼命工作,任何性质的音乐工作他都愿意接下,耗尽心力种下了早逝之因。十多年的短暂婚姻,就在积劳成疾后化为乌有。神童的一生似乎验证了"天才早夭"的说法。

莫扎特以短暂的一生把他的音乐天分发挥得淋漓尽致,算不算已经达到他艺术造诣的高峰,谁也说不清楚。他犹如天上的流星,一闪而过,却给人间留下不少美妙的乐曲,为这不甚完美的世界添加上许多的欢乐。虽有神童的封号,但一生起伏不定,尝尽人世间的冷暖。

目录 CONTENTS

第三幕 快乐时光

终 曲

安可曲

天空飘下棉花般的雪片，把奥地利的萨尔兹堡妆点成一片银白。空气冷冽，走在路上，吐气成雾。但在吉特雷德街 9 号小小的客厅中，利奥波德·莫扎特却满头大汗地走来走去，并且不时地竖起耳朵。

他深爱他的妻子，不愿意她吃任何的苦，可是她现在却躺在床上，独自承受一波波的阵痛，即将生下他们的第七个小孩。

虽说这将是他们的第七个孩子，可是前面的六个，却只有一个女儿娜奈活下来。四岁半的娜奈此刻坐在高高的椅子上，瞪着大大的眼睛，随着爸爸走动的身影，担心害怕，一点声音也不敢发出来。

房间内一阵嘈杂，利奥波德停住脚，揪着双手，眼里全是焦急。

哇——洪亮的婴儿哭声，划破了寂静。

利奥波德转身抱紧娜奈，高兴得流下眼泪，嘴里喃喃地说着：

“这个小孩一定要健康地长大，我要为他取名沃尔夫冈·莫扎特！”

第一幕 神童时期

巨星诞生

公元1747年，利奥波德·莫扎特娶了官吏的女儿安娜·玛利亚·贝尔为妻。原来，他只是个奥格斯堡书籍装订工的儿子，但是他喜欢音乐，并且在这个行业里力争上游，终于说服他的父亲，得以把音乐作为一生的事业。也因为如此，他的岳父才会看上他，愿意把女儿嫁给他。因为安娜的父亲，他的岳父，也是一位知名的歌唱家和唱诗班指挥。

首先，利奥波德为图尔那及塔西斯伯爵效力。公元1743年开始，他成为冯·费尔曼大主教的第四小提琴手。不久后，升任为宫廷乐师，甚至当选为唱诗班的指挥。利奥波德的音乐事业步步高升，加上娶了活泼开朗、脾气温和、富有想象力的安娜，让他的日子天天都充满幸福。

只是，宫廷乐师的生活，是归属大主教支配的，所以利奥波德必须配合大主教的喜好创作或指挥乐曲，不能有自己的主见。而且出生的六个孩子中，只有一个女儿娜奈存活下来，难免让利奥波德觉得有些遗憾。

幸好，这个遗憾由沃尔夫冈·莫扎特补足了。

公元1756年1月27日，是个细雪纷飞的日子，在奥地利萨尔兹堡的吉特雷德街9号，小莫扎特在父亲的期待中呱呱诞生。老莫扎特等在门外，紧紧地搂着女儿娜奈，流着高兴的眼泪。过了一会儿，接生的医生擦着手走出来，欲言又止。老莫扎特的脸色马上转为忧虑，迟疑地开口：

"医生……有什么不对劲吗？这孩子……也……"

医生露出安慰的笑容，"没那么严重！虽然他看起来比较瘦小，但是哭声洪亮，应该没问题。只是……"

"只是什么？"老莫扎特追着问。

医生搔搔头，"也不是什么大毛病啦！只是耳朵看起来有点儿奇怪，不是一对，只有一只，左边那一只，呃……形状不太正常，上半部是平的，几乎没有耳垂，应该说没有耳垂……"

老莫扎特耐不住了，急急地插嘴："会影响他的听力吗？"

医生抓抓下巴："应该……不会。看起来是个健康的宝宝！"

"我们的沃尔夫冈一定要对音乐很敏感的。我相信他一定没问题。走，医生，谢谢你，我们去庆祝庆祝！"

老莫扎特实在太高兴了，决定发表他研究已久的小提琴演奏法，这是他首创的，没有人知晓。这个时候发表，足以表现他的喜悦。果真，这种演奏法一发表，立刻受到欢迎，欧洲大陆很多人都知道他的名字。因为这样，老莫扎特更相信，小莫扎特是会为他带来好运的宝贝。

小莫扎特看似瘦弱，却熬过一次又一次的流行性感冒、腮腺炎、麻疹、天花等疾病的侵袭，坚强地活了下来。这一切的原因是，他和姐姐娜奈在充满音乐的环境中长大，那是他最喜欢的。他整天笑眯眯的，每天晚上临睡前，会站在高高的椅子上，为爸爸大声唱一首意大利歌本里的旋律，然后在爸爸的鼻尖上亲一下，才心满意足地上床睡觉。

当时，老莫扎特只知道他喜欢音乐，没想到他长大后所创作的音乐，会对世界产生重大的影响。

崭露音乐才华

小莫扎特和爸爸的关系很亲密，老莫扎特也很爱小莫扎特，却没有纵容他。

老莫扎特亲自为儿女上课，教法严谨，但是内容丰富，很能引发孩子的兴趣。小莫扎特不管学什么都专心投入，如果他学算术，他摸得到的桌子、椅子、墙壁甚至地板上，全被他用粉笔写满了演算的式子与数字。音乐，他学得尤其起劲。姐姐娜奈八岁开始学习弹奏大键琴[1]，小莫扎特坐在椅子上听得入迷。不久，小莫扎特也坐上琴凳，他胖胖短短的腿悬空晃来晃去，他再搬一张小凳子垫脚，也开始弹起大键琴。

1 当时的大键琴以拨弦方式发出声音。1777年，乐器制造师斯泰因将它改进，以琴槌槌击琴弦而发声，音效更好，极弱到极强的表现也更明显，得到莫扎特的喜爱。莫扎特也因而成为个中的演奏能手。为了和大键琴区分，改良过的钢琴称为老式钢琴。后来老式钢琴又经过改良，才有现代钢琴的产生。

老莫扎特笑着问:“沃尔夫冈,你装模作样地坐在这琴前面做什么?”

“不!”小莫扎特也笑着回答:“爸爸,我在寻找和谐的音符哪!”

当时,老莫扎特心里一震,三岁多的小莫扎特竟然可以说出这么成熟的话语,难道……他……真的……那么热爱音乐?如果他真的喜爱音乐,该怎么培养他呢?

许多的夜晚,老莫扎特坐在小莫扎特的床边,看他可爱的沉睡模样:玫瑰般的红脸颊、微笑上翘的嘴角,胖胖的小手指还轻轻地动着,仿佛在睡梦中仍弹着心爱的大键琴。老莫扎特不断地思索,当宫廷乐师有安稳的工作,一份饿不死的薪水,却得不到尊重。如果……如果……小莫扎特具有音乐的天分,做父亲的难道不应该提供更好的学习环境吗?

这一天,老莫扎特回家来,看到四岁的小莫扎特伏在桌上,拿着鹅毛笔在纸上涂涂写写。老莫扎特伸长脖子偷看了两眼,只看到一团团晕开的墨水,他实在忍不住了,开口问:“沃尔夫冈,你在做什么?不要浪费墨水了!”

小莫扎特仍然振笔疾书,头也不抬,“爸爸,我正在写一首钢琴协奏曲,快写完了。”

“真的吗?”老莫扎特不相信,“拿过来给我瞧瞧!”

小莫扎特的手没停下来,“还没完成呢!”

老莫扎特伸出手,“没关系啦,先让我看一下嘛!”

老莫扎特看到一堆潦草的音符,有一大部分的墨水晕开了,加上小莫扎特的手印,但是老莫扎特却忍不住热泪盈眶。他把这件事说给他的好朋友宫廷喇叭手安德烈亚和妹妹娜奈儿听。

“我本来以为他在乱涂鸦。想想看，他才四岁，连笔都不会拿，还把整支笔都插进墨水瓶里，沾了太多的墨水，滴得纸上到处都是，他不得不用手去擦掉。你们真应该看看当时的情况，两只手的袖子全沾满了墨水，可是他还兴致勃勃地写个不停。”老莫扎特兴奋地描述，“当我细看那张纸的时候，我太惊讶了！真的，我的嘴张成O字形，我的身体不会动了，我……我……我看到一些音符跟音节，每个地方都正确，而且合乎规则！”老莫扎特转身从桌上的纸夹抽出一张墨渍斑斑的纸，递给两个人看。

“他真的不是在玩！这首协奏曲难度高得吓人，我打赌，没几个人能演奏得出来。老天，他才四岁哪！就作出难度这么高的协奏曲！”说到这里，老莫扎特流下两行热泪，话几乎说不下去。可是他擤擤鼻子，哽咽地继续说：“你们知道，沃尔夫冈还跟我说什么吗？”

安德烈亚和娜奈儿将视线从乐谱移到老莫扎特的脸上。

只见老莫扎特用袖子擦擦眼角，咳了一声，“沃尔夫冈站到椅子上，用手圈住我的脖子，很认真地跟我说：‘这样才叫协奏曲嘛！要不断地练习，直到熟练为止哦！’”

安德烈亚和娜奈儿听到这里，眼眶也不禁热了起来。

接着，安德烈亚也分享了一个秘密。“你们知道，沃尔夫冈不喜欢小喇叭单独演奏，如果听到单独吹奏小喇叭而没有其他的乐器伴奏的声音，就用两只手捂住耳朵逃得远远的。要是强迫他听，就好像拿枪指着他的心脏，他会吓得脸色发白，一副快要死掉的模样。但是，他对我的这把小提琴却很喜爱，称赞它音质轻柔圆润，还昵称它为‘奶油小提琴’。”安德烈亚一边说一边拿出他的小提琴，轻轻地抚摸着。

“有一次，我来你家，他正在演奏小提琴。他一看到我，立刻放下小提琴说：‘我已经调好我的小提琴了。你的比我高八分之一音。’”

老莫扎特不可置信地瞪大眼睛，“有这回事？”

“一点儿也不假！”安德烈亚肯定地点点头。“当时我也不相信，立刻拿出我的小提琴，要求他拉一段，我也拉一段。真的，他的音感实在太敏锐了，连八分之一音高都分辨得出来。”

听完这些，老莫扎特沉思了一会儿，开口要求：“你们的弦乐四重奏都在什么时候练习？我带沃尔夫冈去旁听一次。”

“明天早上就是练习时间，随时欢迎！”

第二天一早，小莫扎特胳肢窝下夹着他的小提琴，跑进弦乐练习室，大声嚷道：“我跟你们一起练习！”带着洋洋得意的神色。[1]

安德烈亚伸出双手，举起他，放在一张高椅上，笑着问：“你要演奏哪一部？”

“第二小提琴声部。”小莫扎特老实不客气地提出来，然后架式十足地把小提琴放上肩膀。

安德烈亚轻轻地向他的三个伙伴点点头，四个人很有默契地拿起琴弓，拉了起来。小莫扎特很快便跟上了。几个音节后，第二小提琴手放开他的手，大叫起来：

---

1 在文艺复兴以前，音乐家都自己制造乐器。后来才有工匠代为制造。17世纪末，小提琴逐渐成为受欢迎的独奏乐器，也才成为现在我们所见的样子。莫扎特一直认为小提琴是最好的演奏乐器，他写小提琴乐曲时，总会想到人的嗓音，及人的嗓音中那种难以形容的表现力。而除了《双小提琴协奏曲》外，他只写过一些附在小夜曲或嬉游曲中“添加的协奏曲”，直到1775年，才写出以小提琴为主角的曲子。

"我服输,沃尔夫冈太厉害了!"

但是其他的人还想测试他。

安德烈亚故意逗他。"沃尔夫冈,你爸是宫廷乐团的指挥,有大家的乐谱。所以……你在家里偷偷地先练习了吧!要不然……"

"才没有!"小莫扎特不服气地大叫,鼻子翘得老高。"我来这里才看到的。"

"我的朋友,曼佐利,"安德烈亚用琴弓指指旁边的一个提琴手,"他很想知道,你会不会即兴创作。呃……不要太难的,只要能引导歌剧里的情歌形式就可以了。"

小莫扎特偏着头想了几秒钟,露出一个淘气的表情,然后不疾不徐地把小提琴架上肩膀,拉出五六句只有内行人才懂的宣叙调[1],正适合引导出一首情歌。

在场每一个大人的表情都不一样:有人脸色凝重,有人面露惊讶,有人不可置信地掏掏耳朵。唯有老莫扎特的表情最复杂,先是惊叹,继而喜极而泣,但是很快又转为忧伤……只见他嘴巴张了又闭,欲言又止,就是没说出一句话来。

让大家更吃惊的是,小莫扎特放下小提琴,像玩游戏似的坐上大键琴的琴凳,即兴演奏,随手弹出一段又一段具有专业水平的宣叙调。五个大人正随着音乐摇头晃脑时,小莫扎特站上琴凳,用力敲着琴键,将他所有的感情透过乐声展现出来。那种汹涌澎湃的琴声,撞击着在场每一个大人的心灵,差点儿让他们喘不过气来。

1 宣叙调是一种应用在歌剧或神剧的唱歌种类,着重在剧情的铺陈发展,所以音乐形式与内容表现不太丰富与完整,旋律主要为说话的抑扬顿挫发展出来,节奏简单,与说话比较相近,主要为交代剧情。

老莫扎特因为这些事情而更加确信，过去的一两年，因为他的亲自教导，沃尔夫冈接受了一系列严格的传统式训练，基础算是扎实了。但是，环境很重要，如果让他在萨尔兹堡长大，成天和宫廷面包师傅、马车夫、厨娘、女侍往来相处，志向一定会变得短浅，音乐天分一定会被埋没。为了小莫扎特的将来，除了加强他的音乐知识与技巧外，他们必须离开萨尔兹堡，认识更多的音乐家及他们的作品，储备更多的能力，才会有更宽广的空间展现他的天分。

只是，老莫扎特虽然已经升任宫廷乐团指挥，仍是大主教的仆役，和其他仆役并没有什么不同：穿着制服，随时等候大主教的差遣，做出符合大主教需要的演出。最重要的是，有一份固定、稳当的薪水。所以，如果他失去这份工作，家里的经济一定立刻就会出问题。

但是，安排沃尔夫冈外出学习，是势在必行的一件事。唔——如何让大主教准假，又能继续领薪水，是老莫扎特必须好好思考的一件事情……

音乐神童

18 世纪的欧洲，像萨尔兹堡这样的小城邦，领主必须花钱维持一个乐团，以显示他高雅的格调。或者说，因为有一个专属的乐团，可以在招待其他城邦的王公贵族时演奏曲目，才不输给其他的宫廷，并且和主要君主国维持良好的关系，这一点非常重要。

老莫扎特深知各个君主对音乐人才的需求，而且，要找到像老莫扎特这样优秀、老练的人并不容易。这是老莫扎特拥有的优势。因此，他不断地思索，如何利用这个优势，才能让大主教准他的假，又继续付他薪水？

这一天，他灵光乍现，想到一个两全其美的方法。如果他能让大主教了解，莫扎特家族外出学习，是为了传扬萨尔兹堡大主教的仁慈与美名，喜欢戴高帽子的大主教应该会答应。

果真，大主教听了老莫扎特的吹嘘，想象自己的名声随着莫扎特父子的脚步，在欧洲大陆四处传扬，就乐陶陶地接受了他们的请求，准了老莫扎特的假。

老莫扎特看到这顶高帽子送得非常恰当，高兴地开始筹备第一次巡回欧洲宫廷的音乐表演之旅。

1762年1月，小莫扎特六岁生日之前，老莫扎特带着十岁的娜奈和小莫扎特展开了第一次音乐巡回表演。他们的第一站是慕尼黑宫廷，在巴伐利亚选帝侯马克西米利安三世的面前，进行表演。

虽然坐马车很辛苦，也是小莫扎特第一次在萨尔兹堡以外的宫廷表演，但是他却一点儿也不怯场。有些曲目的难度很高，即使是大人都不一定能顺利演奏，可是小莫扎特自然、熟练、毫不做作的演奏模样，获得许多的掌声。这增加了老莫扎特的信心，决定继续安排公开的演出。

10月6日，他们三人来到维也纳。当年的维也纳是神圣罗马帝国的中心，繁荣无比，非常欢迎外国人，尤其欢迎有才艺的人，对于音乐情有独钟，被誉为音乐的首都。小莫扎特因为独特的音乐能力，很快成为惊叹和赞扬的焦点。他们所到之处都受到热烈的欢迎，并且造成极大的反响。宫廷的贵族抢着看这位六岁小男孩的脸蛋，聆听他的音乐，大家谈论的话题就是那位“音乐神童”！

1762年的10月16日，老莫扎特写了一封信给他心爱的妻子，告

诉安娜他们受欢迎的情况。

亲爱的安娜：一切可好？

很抱歉，现在才有空提笔写信，让你知道我们平安顺利。

这一切，实在是因为沃尔夫冈太受欢迎了！他还没来到维也纳之前，名声已经从慕尼黑传到这儿来了。你知道吗？在维也纳海关，是他让我们免去了繁杂累人的海关检查。他一下子就和海关官员混熟了，不仅把他的大键琴给海关人员看，还即兴地用他的小提琴为官员演奏一首小步舞曲，把那些官员逗得心花怒放，挥挥手，根本不必检查，就让我们通过海关了。

而我们才一进城，就受到此地王公贵族的欢迎，他们纷纷邀请娜奈和沃尔夫冈到宫廷表演。你知道的，娜奈才华横溢，是大键琴的高手，但是沃尔夫冈更引人注目。

皇后的长子约瑟夫大公兴致勃勃地向皇后提起这件事，皇后因此特别召见我们。啊！你真该在现场看看那个景象。我们的小儿子跳到皇后的身上，坐上她的膝头，搂住她的脖子，使劲儿、不住地亲她，皇后也高兴得咧嘴大笑。皇后为了测试沃尔夫冈的能力故意要人在琴键上盖一块布，不让沃尔夫冈看见琴键，要他弹出指定的曲目。这根本难不倒沃尔夫冈，他闭着眼睛也不会弹错。真的，皇后看他自信满满的模样，一个音也没有弹错，忍不住又把他搂在怀里，直称赞：好可爱啊！

我们在皇后那儿从三点待到六点。这时，皇上从另一个房间走出来，邀请我们一起进房间去听公主拉小提琴。你想，这是多大的恩宠啊！我一想到这些都快喘不过气来了。

15日那天，皇后派内务府账房送我们回家，并且赐给两件衣服：一件给娜奈，一件给沃尔夫冈。那是王子和公主曾经穿过的衣服，但是一点儿也不显旧，上面绣的亮晶晶的金线、蕾丝花边，多得叫人眼花缭乱。衣服穿起来刚刚好，娜奈和沃尔夫冈爱不释手。回到我们下榻的地方，账房同时提醒我们，只要诏令一到，会有马车来接两个孩子到宫廷去，他们必须排除万难，立刻前往。这是当然的，皇室对我们的厚爱，我们敢拒绝吗？

今天下午两点半，我们将拜访两位年轻的公爵。

四点钟，拜访匈牙利首相帕尔菲侯爵。

昨天，我们去了考尼兹伯爵那儿。前天，被女伯爵肯尼金邀请，随后又到乌勒菲德伯爵那儿。就这样，每天的行程都排得满满的，未来的几天也是如此。虽然辛苦，但我们觉得很高兴。尤其是沃尔夫冈，整天瞪着大眼睛，东瞧西瞧。我要再一次强调，带他出来四处旅行演奏的决定是对的。

过两天，我会托商人朋友带回120块金币。金币中的100块是皇后赏的，其余的是其他音乐会的收入。你要保管好，不要随便动用它。因为，我打算买一辆专用的旅行马车，孩子们会坐得舒适些。

好了，不得不在这里停笔。

祝

充满喜乐！

诚挚的利奥波德

1762年10月16日

几天后的一个早上，在维也纳皇宫，还发生了一个有趣的小插曲。莫扎特一家又被宣诏入宫，尽管小莫扎特在擦洗得亮晶晶的地板上小心翼翼地走动，结果还是滑了一跤。七岁的玛丽公主走过去扶起他。小莫扎特感激地对她说：“谢谢你，你真好！我长大后，要娶你当我的妻子！”

这段话，弄得老莫扎特很尴尬，皇后却听得哈哈大笑。

当时，没有人知道，后来这位玛丽公主成为法国王后。

小莫扎特所到之处，都刮起了“音乐神童”的旋风，让人议论纷纷。12月25日，有人特别写了一首诗来描述他得到的恩宠。

献给 来自萨尔兹堡的六岁小钢琴家：

令人惊叹的孩子啊！
人们赞叹你的能力，
你，一个小孩，如此小的年纪，
却是个伟大的弹奏家！
对你来说，
声音的艺术根本不是负担；
不久的将来，
你将成为一位大师！
我们所期待的，
是你那装着这种心灵的肉体，
还能承担如此庞大的精神力量，
千万不要像吕北克的孩子一样，
太早走入坟墓。

不是人们想诅咒小莫扎特，只是大家都很忧心，一个这么早就绽放天才的孩子，会不会像其他的天才儿童一样（例如吕北克的神童），太快燃尽生命的火花，在人们还惊叹不已时，却离开了人世，只留下悲叹和遗憾，这是大家难以忍受的。

这个预言，差点儿就应验了！

小莫扎特一向身体瘦弱，在维也纳引起轰动后，因为旅途劳顿，加上四处的拜访演出，得了猩红热：喉咙痛，皮肤上有细致的红色斑点，手指压下会变白，摸起来似沙纸，红疹让他的舌头看起来像草莓，还发烧。老莫扎特不得不停止所有的演出与拜访，要小莫扎特好好地躺在床上休息。幸好，他是活泼开朗的孩子，加上充分的休息，几天之后就康复了。他们启程返家。离开萨尔兹堡一整年了，他们都想念单独留在萨尔兹堡的妈妈。

名声响遍欧洲

公元1762年，小莫扎特七岁，法国和奥地利打了七年的战争终于结束了。法国好像在向莫扎特一家招手，老莫扎特不会放弃让法国宫廷贵族认识小莫扎特的机会。虽然一月份才结束第一次音乐巡回，但是老莫扎特已经兴致勃勃地策划着另一次的音乐巡回之旅。

6月9日，令人兴奋的日子来临了。小莫扎特忙着把他的乐器搬上马车，两只小脚跑进跑出，因为这一次，妈妈要跟他们一起去，这可是天大的好消息，他们要全家在欧洲巡回旅行演出哪！

他不知道，这并不是一件容易的事情。就他的年纪，他并不能了解爸爸和大主教之间主人和仆役的关系，也还不能分辨乐匠和音乐家的区别。

这个时期的欧洲大陆，因为多年战乱的关系，独立出许多小君主国，各有其统治权。各小国统治者除了展示财力外，也附庸风雅地表现对音乐艺术的喜好，尤其是带领风骚的维也纳，不时传来顶尖音乐家的消息，因而影响了各君主国，让他们争先恐后地成立专属乐团。君王或大主教可以指定乐团为他的需要演奏，以讨好来访的宾客，或规定乐团的指挥、作曲家依照他的喜好作曲，以炫耀他的品味与格调。

虽然音乐属于艺术领域，没有优美纯净的心灵，作出的曲目无法满足精神的需要。但是，君王或大主教付音乐家薪水，就是要他们穿着仆役的衣服，低头垂手，卑躬屈膝，在指定的地方听候差遣。不是演出的时间，他们不能在宫廷里随意走动，得待在厨房里，和马车夫、面包师傅、厨娘和打杂的人，等候随时的召唤。

这一切，不仅是对音乐的不尊重，更是对人格的屈辱。老莫扎特深深体会到这种环境对音乐天才的斫伤。他已经尽量利用在家教育的方式，教导小莫扎特学会各种乐器的演奏，并认识它们的特性，为他垫下深厚的音乐基础。他期待，有朝一日，小莫扎特不要被拘限在小小的萨尔兹堡，因为他的天分与能力，可以展翅高飞，飞到更好的环境，有优渥的待遇，又能展现他的音乐才华，还得到皇室的尊重。这是他为什么再次走出萨尔兹堡，走向世界，好让更多的王公贵族认识小莫扎特的原因。

他们计划中的第一站本来是慕尼黑，但是在路上车胎却坏了，不得不在瓦瑟堡停靠。虽然不在计划之中，瓦瑟堡的人却得以一饱耳

福,并且不断地发出惊叹。过去,小莫扎特没学过脚踏键盘式的管风琴,可是面对这项新乐器,小莫扎特并没有露出一点迟疑的脸色,一学就会了,而且运用自如,令瓦瑟堡的人抚掌称奇,更加肯定小莫扎特“音乐神童”的称号。

到了慕尼黑,他们如预期的在马克西米利安三世的皇宫演出,大获好评,得到该有的奖赏,也得到推荐他们去表演的信。

然而,并不是他们所去之处都受到欢迎,例如在奥格斯堡就不如预想。

当时的奥格斯堡,纺织工业很强,正努力成为商业及金融中心,对音乐艺术不如耳闻的那么热衷。他们对音乐神童的来临,反应很冷淡。所幸,奥格斯堡是老莫扎特的故乡,虽然他已经离开多年,当地的亲戚还记得他们,热情地迎接他们。而当地的贵族为了不落其他君主国之后,勉强尽了地主之谊,邀请他们到城堡演出。

只是,书籍装订商毕竟是一般百姓,不是贵族血统,所以老莫扎特的父兄并不在获邀之列。当老莫扎特父子为贵族们在城堡内演奏音乐的夜晚,老莫扎特的父兄只能等在门外,直到音乐会结束,父子走出城堡,才能和他们一起回家,用市井小民的方式接待他们,大家欢聚、喧哗了一整晚。

接下来,在路德维希堡,贵族们也不认为小莫扎特姐弟俩有什么了不起的地方,他们甚至大言不惭地说:“这两个小孩所以能有如此精彩的演出,是因为我们唱诗班的指挥和乐团,他们的默契太好了!”

幸好,茨威辛格的贵族就热情多了。巴拉丹选侯热切地聆赏两个孩子的演奏,并且款待他们前往他的避暑别墅,尽情玩乐,还一起聆听当时最优秀的曼罕乐队的演出。[1]

接着，他们前往沃姆斯、美因兹和法兰克福。在法兰克福，有个年轻的观众一再为姐弟俩喝彩，他是诗人歌德。

出生于法兰克福的歌德[2]，自小在富饶和乐的家庭成长，父亲是位有教养、坚毅刚强的法学家，母亲则爽朗、幽默、健谈乐观，是议长的女儿。歌德在父亲严格监督下，学习语言及自然科学、艺术、马术、剑术等多方面的课程。当他遇见小莫扎特时，年龄只有十四岁。

看到小莫扎特优异的演出，歌德发出由衷的赞叹。即使多年后，他仍能形容当年心中的冲击：

“莫扎特！那个头上戴着假发、腰上佩着剑的小绅士。

“啊！就我所知，音乐才能可以很早就出现了，因为它是天生的、表达内心情感的！用不着从外界吸收多少营养，或从生活中汲取多少经验。不过，像莫扎特所显现的能力，应该是永远无法解释的奇迹。我只能说，那是上帝的奇迹！

“也因此，我难免产生好奇，是不是上帝到处在找机会创造奇迹？然后故意透过一个看似平凡的人，不经意地展现出来，好让我们惊奇、敬畏呢？”

---

1 在18世纪中叶，曼罕是德国的音乐中心，那里的人个个都是优秀的乐器演奏家和作曲家，尤其擅长协奏曲和交响乐。

2 1774年，歌德的浪漫小说《少年维特之烦恼》问世，轰动了文坛，他也因此名闻欧洲的文学界。歌德最著名的作品是《浮士德》，是一部颇富哲学意味的诗剧，描写一个屡遭挫折，但仍然坚信正义和善良的人的故事。《浮士德》分成上、下两部，从构思到完成，前后共经历六十年。诗剧反映的是人类追求生命意义的伟大精神。也由于此书，奠定了歌德在世界文学史上的崇高地位。

因为歌德的公开赞誉，引起法兰克福大众的注意，请莫扎特姐弟演出的邀约蜂拥而至。

离开法兰克福，莫扎特一家继续前行，先到莱茵河畔的科布伦茨、波恩、科隆、亚琛，又到布鲁塞尔，于11月18日到达巴黎。萨尔兹堡皇宫侍卫长的女婿冯·伊克把他们迎进了他的公馆，成为他们在巴黎暂时落脚的据点。

在巴黎，他们遇见了格里姆男爵。男爵已经在巴黎十五年了，熟悉巴黎的生活及贵族的品味。他撰写的“文学、哲学和批评书信集”，描绘法国知识分子的生活，颇受好评，闻名全欧。

他当然听闻过“音乐神童”美名，但是他必须亲自求证。当他聆赏过姐弟俩的演奏后，大为惊叹，立刻在12月1日发表了一篇评论。

> 奇才百年难得一见，有幸遇到，一定要谈谈他。
>
> 有个自称是莫扎特的人，是来自萨尔兹堡的宫廷乐师，带着两个小孩来到巴黎。这两个孩子长得聪明伶俐，讨人喜欢。大的女孩十一岁，弹得一手好琴，再难的曲目也难不倒她。弟弟明年1月要满七岁。
>
> 说起这个小男孩，若非亲眼目睹，很难相信有这样的奇才。他小小、短短的手指只能弹六个琴键，但却能准确无误地奏出最难的曲目。这还不算什么，最令人难以置信的是，小小年纪的他，可以非常专心地弹一个小时的琴，跟我所认识的那些蹦蹦跳跳的小孩完全不一样！
>
> 此外，任何人给他乐谱，他都能毫不费力地弹奏。作曲更是难不倒他。

我写了一首小步舞曲，要他标出低音部。他只看了一眼，完全不用大键琴，提笔就写出来。我不相信，又要他在规定时间内，将一首曲子移调，他想都不想地立刻就奏了出来。

接下来，有个贵夫人唱一首意大利歌曲，要小莫扎特弹出低音部。第一次，他奏得很慢，有些错误。但是他请贵夫人再唱一遍。这一次，他可以用右手弹出主旋律，左手则弹出低音部。随后，贵夫人总共又唱了十次，每一次小莫扎特都改变伴奏的特色，令现场的人惊叹不已。最后，我们不得不请他停下来，因为如果不这么做，我看他即使再弹奏个二十次，恐怕也不会停的，而且还会遍遍翻新花样！

我们都知道，他们在慕尼黑和曼罕受到热情欢迎。只可惜，我们巴黎懂音乐的人太少了，要不然应该得到更多的注意才对。

我听他的父亲说，他们要从这里去英国。我希望在他们离开之前，大家有耳福去聆赏他的演奏。而且，我要在这里加一句话，国王已经注意到他了！

这是最好的宣传。喜欢新鲜事物的巴黎贵族，把他们所有的注意力都集中在莫扎特一家人身上，争着邀请他们到宅邸去演奏。

12月底，连法国王室都邀请他们到凡尔赛宫表演。太子妃和公主们看到小莫扎特可爱的模样，忍不住抱着他亲了又亲。1月1日的新年，他们一家人还应邀参加传统新年的“盛宴”，和国王、王后同桌吃饭。

这一连串的活动，少不经世的小莫扎特认为很好玩，老莫扎特却认为是难得的机会，虽然演出的收入不是每场都能尽如人意。能

收到金币最好，毕竟他们有坐车、吃饭、住旅馆等生活的开销，但不是每个皇室贵族都这么慷慨。有些贵族的打赏带着恩赐的意味，一个鼻烟壶、一只戒指、一条丝质手帕、一块勋章……对生活谈不上实质的帮助，有时候甚至忙了一整天，除了吃一顿饱饭外什么也没有，只有疲累不堪伴随他们入梦。不过只要可以结交达官显要，为小莫扎特争取演出的机会，虽然辛苦，老莫扎特也不会轻易拒绝。他之所以要严格训练小莫扎特，就是期待他成为一个杰出的音乐家。他清楚地知道，以音乐家为职业，是一件耗神耗力的工作；然而，小莫扎特具有这样的天分，表现出高度的乐趣，他只有沉浸在音乐中时，才觉得生命有意义。

果真，在法国，小莫扎特遇见一位知音，作曲家和歌剧作家舒伯特。他是孔蒂王子的音乐教师，有深厚的音乐素养又极富创造力，作品中和谐地包含着德国、意大利和法国的风格，让小莫扎特深深着迷，也影响了小莫扎特后来的创作。

年仅八岁的小莫扎特将几位有名作曲家的奏鸣曲，改编成大键琴协奏曲，就在巴黎发表。接着，在冬天来临之前，小莫扎特又完成一部大型音乐作品，其中第二奏鸣曲的小调舞曲，更让舒伯特感动，称赞小莫扎特的作品有“音乐艺术的诗意功能”！得到大音乐家的肯定，小莫扎特对音乐创作越来越有兴趣了。

此外，莫扎特一家在巴黎停留的期间，认识了作曲家卢利[1]，他的

1 卢利（1632—1687），意大利裔，法国歌剧的创始人。不仅是作曲家，所创作的芭蕾舞曲尤其受到赞扬。受到法国皇室的支持，他改革当时僵硬沉闷的歌剧，加入华丽的服饰、热闹的舞蹈、多变的布景等吸引人目光的舞台表演形式，虽然后因过于繁复而不再受欢迎，但他所做的序曲形式影响了巴赫和韩德尔。

巴洛克歌剧很受国王路易十四的喜爱，而他将法国已有的古典戏剧和音乐、芭蕾舞结合，创作出具有代表性的歌剧。莫扎特和他相处的时间，从他身上学到许多东西。

伦敦的学习时光

1764年的4月，莫扎特一家启程前往伦敦。在横渡英吉利海峡的无聊时间，老莫扎特滔滔不绝地介绍着："伦敦！作为一个音乐家，一生总要去伦敦一次！"

小莫扎特仰着天真无邪的脸，好奇地问："为什么？"

老莫扎特则一脸严肃，"伦敦是音乐的代表！那里有非常棒的合唱团和管弦乐团，还有……"老莫扎特故意停住嘴，瞪着小莫扎特眨眨眼睛。

小莫扎特跳上爸爸的膝头，眼睛直视老莫扎特，追问："还有什么？"

老莫扎特搂紧他，"那里还有很棒的剧院，各国顶尖的音乐家都会到那里去观摩或一展才华！"

"我也要去，我也要到剧院去！"小莫扎特兴奋地举起手。

除了参加音乐盛会，他们并不知道，他们正参与在伟大的历史事件之中。17和18世纪的英国，历经多年的战争与民主运动，正进入强盛时代，大力拓展海外殖民地，号称"日不落国"。英国的首都伦敦，因为牛顿、哈雷陆续提出重要的科学理论，就像磁铁一样，吸引了众多的科学家，大家齐聚一堂，互相激励，创办各种学术团体，彼此

交流不同的见解与思想。第一次工业革命悄悄地被点燃了,重要的发明一项项被提出来。传统的手工业正逐渐被机器取代,平民的生活开始改善,对音乐艺术的需求越来越高。具有代表性的皇室当然扮演领航人的角色,将正统、高尚、优雅、具有教育功能的音乐,介绍给英国的普罗大众。

4月23日,莫扎特一家踏上英国的土地,立刻被热闹、繁荣的港口景象吸引了。大大小小不同的船只、来来往往各色的人等、堆积如山的货物、川流不息的车马,加上吆喝叫喊声、桅杆吊车声、食物叫卖声,让他们看得目瞪口呆,惊叹不已。

而他们的到来,也在伦敦引起轰动,甚至引起皇家协会的注意。是考古学家,也是博物学家的巴林顿法官,向皇家协会呈上了一份报告,提出他的看法。

大家好:

我要向大家介绍一件有趣的事情,关于一个八岁、身高150公分的小男孩,他叫莫扎特。大家能拨冗读这份报告,保证会有收获。

这个孩子有了不起的音乐才能。我听他的父亲说,他常常冒出许多音乐灵感,只要一有灵感,立刻就坐上大键琴弹奏,即使在半夜也是如此。因此,我当着他父亲及这个小男孩的面,要他即兴创作一首情歌,就像名歌唱家芒佐里在歌剧里唱的一样。

莫扎特坐到大键琴前面,偏着头想了一想,对我们咧嘴笑了一下,模样有些调皮,然后开始弹奏。他弹了五六行宣叙调,正符合一首情歌的序曲。我要承认,这个即兴创作称不上惊人,但已经超过一般水平，证实他可以即兴创作。

我还想试试他。接下来，我请他再作一首在歌剧里表现心中狂热的部分。他转动眼珠，露出慧黠，再度作出五六行宣叙调，正是狂热乐曲的序曲。然而，这一次他的表现可不一样了，激情奔放，弹到澎湃汹涌的地方，还从椅子上站起来，用力地敲打琴键。弹奏完后，他告诉我们，曲名叫“背叛”！

即兴创作结束后，他很有礼貌地请问我，是否有兴趣听听他前两天写的一段曲子。我表示愿意洗耳恭听。他立刻又弹奏起来。一听就知道，那是一首难度较高的曲子，而他的小手却飞快地在琴键上移动，令人惊讶！

由此我看出，他熟练的演奏技巧不只是反复练习的结果，而是他对乐理有深入的了解。他甚至擅长转调，指法非常熟练，从一个音转向另一个音的过渡自然流畅。在他表演转音过渡时，即使用布把琴键盖住，也不会妨害他的弹奏，全无错误。

我虽然亲眼目睹这一切，但仍怀疑，是不是他的父亲隐瞒他的年龄，以大报小？但我仔细观察，不只他的模样就像个小孩子，他的行为举止也符合孩子该有的特征。譬如，在弹奏的过程中，突然来了一只猫，他竟然放弃弹奏了，停下来把猫拥入怀里抚摸，让我们等了好久，完全是小孩子爱猫的表现。要不是我把猫赶走，恐怕我们还要等更久。

以上是我的报告。我听说，皇上已经准备召见他了。相信必有一场精彩绝伦的音乐会要在大家面前演出，大家可不要错过了！

果真，莫扎特一家还来不及喘口气，国王乔治三世和夏洛特王

后就在王宫热情地接待他们。小莫扎特暗暗比较法国的凡尔赛宫和英国王宫的不同。建筑金碧辉煌、装潢富丽堂皇……可以说不分上下,但说起觐见国王的繁文缛节,在法国可真教小莫扎特一想就害怕,然而在英国就轻松多了,大家都亲切地和莫扎特一家人打招呼、交谈。

在5月19日白金汉宫的演出中,小莫扎特满足了大家的期待。到达英国伦敦之前,小莫扎特所接触的是欧洲大陆德国的音乐;而在伦敦,耳里听到的却是意大利的音乐。因此在白金汉宫的这一场个人的演奏会,国王和王后也事先准备了阿贝尔[1]、约翰·克里斯汀·巴赫[2]和韩德尔[3]的作品。他们的曲目深受意大利音乐的影响,是过去小莫扎特很少接触的,但是这一切都难不倒小莫扎特,他看谱即奏,没有丝毫犹豫。当他演奏完大家指定的曲目后,还即兴地现场创作、演奏,获得满堂的喝彩。夏洛特王后实在太高兴了,兴致高昂地要求小莫扎特为她伴奏,小莫扎特当然圆满完成,只听得现场“安可”[4]声四起,小莫扎特不得不又站起来,为大家拉奏小提琴。那天晚上,所有参加白金汉宫音乐会的王公贵族,为小莫扎特疯狂,喝彩和鼓掌声几乎掀翻了白金汉宫的屋顶。

莫扎特一家停留在伦敦的时期,韩德尔已经过世。但是,小莫扎特在家接受父亲的音乐教育时,就有机会听闻韩德尔的求学历

阿贝尔(1723—1787),作曲家与中提琴演奏家。

约翰·克里斯汀·巴赫(1735—1782),是J.S.巴赫的幼子。

韩德尔(1685—1759),先后完成《弥赛亚》、《所罗门》、《马卡布斯的犹大》等作品。

安可:法语“Encore”的音译,意思是“再来一个”。

程，及作品的风格。

韩德尔是小莫扎特学习的榜样。小莫扎特知道，韩德尔七岁能演奏风琴，十一岁写出教会音乐和奏鸣曲，十二岁取得风琴师资格，他长大后定居英国伦敦，热心推广意大利歌剧，在伦敦造成歌剧旋风。只是，他的歌剧适合表现旋律与节奏，以炫耀歌手的好嗓音，因此流行趋势一过，就被大家遗忘，歌剧院也将他的作品束之高阁。于是，他改而写出取材自《圣经》的神剧，尤其以《弥赛亚》的演出最成功，使他跃升为英国最受欢迎的作曲家。

有韩德尔的典范，小莫扎特立志要像他一样，年纪还小的时候，就在乐坛崭露头角。

至于德国风琴演奏家和作曲家巴赫[1]，莫扎特一家也没机会见到。老莫扎特非常慎重地向沃尔夫冈介绍巴赫，形容巴赫在音乐史上有如夜晚星空中的北极星，指引后人音乐创作的方向，所以被后人尊称为音乐之父。

在许多零碎且无事可干的时间，老莫扎特用巴赫的故事来取代无聊。巴赫的家族是音乐世家，已经延续了七代，根据统计，到1700年左右，德国共有三十位姓巴赫的音乐家。老莫扎特借此暗示，只要沃尔夫冈愿意，莫扎特家族的音乐世家也可以永远延续下去，媲美巴赫家族。沃尔夫冈似乎接受了这个暗示，认真地点点头。

巴赫虽然具有音乐世家的优势，却在十岁成为孤儿，若不是凭着吃苦耐劳的精神和坚定不移的意志，早就被生活打败了。他一生担任过多项音乐职务：宫廷风琴师、室内乐师、乐队首席、教堂乐队长

---

1 J.S. 巴赫（1685—1750），有《马太受难曲》、《圣诞神剧》等著名音乐剧作。

等,创作了许多的管风琴曲、奏鸣曲、协奏曲、弦乐组曲及两百多首的清唱剧。

这一天,当老莫扎特说到,巴赫因为眼疾而接受眼科手术,又因年纪大,加上手术的并发症,于1750年7月离开人世时,沃尔夫冈悲伤地哭了起来,仿佛他也失去一位挚爱的人一样。

无缘接受老巴赫的教诲,他们却有幸在巴黎遇到老巴赫第二次婚姻中所生的儿子,约翰·克里斯汀·巴赫。他传承了老巴赫的音乐天分,在意大利米兰创作歌剧成名,被英国聘为国王歌剧院作曲家。

在莫扎特一家停留在伦敦的切尔西区过夏天时,小莫扎特常常去拜访这位音乐家。约翰·巴赫向小莫扎特介绍意大利音乐,通过乐器为他展示意大利音乐美妙的旋律风格。他谦虚地表示,他个人的作品形式上很严谨,但是旋律纯朴、真挚,有如诗歌,具有接近意大利歌剧和器乐的风格。他还和小莫扎特四手联弹,即兴演奏,两人的默契非常好,合作无间。弹完后,两人相视、拥抱、哈哈大笑。小莫扎特天赋的音乐细胞立刻感受到,意大利音乐拥有德国音乐所没有的活泼,具有令人振奋的特质。这一切都让小莫扎特喜爱,因此也和长他二十岁的约翰·巴赫结成忘年之交。因为深受约翰·巴赫所创作交响乐的影响,小莫扎特创作出第一部交响曲(K16),并且成功地在伦敦公开演出。

有这些美好的经验,加上约翰·巴赫的鼓励,才八岁的小莫扎特开始梦想创作歌剧。老莫扎特在一旁默默观察,他知道,创作一个曲段已经难不倒沃尔夫冈,这孩子也得到许多的肯定。但是创作歌剧可就不同了,难度高出许多。沃尔夫冈会不会以为只要模仿,或把他所听到的组合在一起就是歌剧了?

趁沃尔夫冈晚上睡着后，老莫扎特偷偷翻看他的速记簿。这是小莫扎特随身携带的笔记本，只要有空的时间，他就拿出来，在里面涂涂写写。老莫扎特看到，虽然字体笨拙，可是结构却很严谨。沃尔夫冈真的不是吹牛皮说大话，凭着他超强的音乐记忆力，加上不断的练习，以及一次次上台的磨练，他加入大量的想象，创作出连老莫扎特看都没看过的音乐曲风。看到这些类似涂鸦的作品，老莫扎特在沃尔夫冈的床边坐了许久，他告诉自己，这样的天赋绝对不可以被埋没，就算面临再大的困难，吃再多的苦头，也要鼓励、支持沃尔夫冈走下去，让世人认识他。

与此同时，小莫扎特结识了大名鼎鼎的歌唱家芒佐里和坦杜奇，听到他们清扬奇丽的嗓音，诠释着歌剧角色的情绪，观众因此露出如痴如醉的表情，小莫扎特创作歌剧的决心更坚定了。

1765 年 8 月 1 日，音乐巡回之旅即将结束，莫扎特一家沿着原来的路线折返回家，途中只停留几个站。其中值得一提的是，阿姆斯特丹的两场音乐会，及参加约姆五世的登基仪式，如同在其他的地方，姐弟俩受到热烈的欢迎。但是他们并不眷恋，庆典一结束，马上打包行李回家。

这一趟旅行比预计的还久，前后总共三年，两个小孩归心似箭，两个大人眉头则罩着淡淡的阴影，老莫扎特尤其忧心：离开萨尔兹堡的时间比预期的更长，不知道大主教会不会生气了？

1766 年 11 月 30 日，冬天来临了，莫扎特一家才回到萨尔兹堡，竟然得到热烈的欢迎，因为“音乐神童” 的美名也传回萨尔兹堡，大主教深知美名对大部分人的影响，暂时不会对莫扎特一家有意见。这让老莫扎特心上的大石头放了下来，全家过了一个愉快的圣诞节。

第二幕 主教的小人

注意大师的作品

过完1767年的新年，莫扎特就要满十一岁了。虽然他喜欢音乐，被大家宠爱，交口称赞他是个神童，但他到底还是个孩子，喜欢玩、爱笑。

回到萨尔兹堡，才休息几天，爸爸就开始督促他勤练苦练，不可以松懈。幸好，这是他喜爱的，他不以为苦。说真的，要是不让莫扎特每天碰触音乐，就像不给他吃饭一样，他会受不了。

何况大主教也等着看他的表现。因为如雪片般飞来的信件，每天都被运送到莫扎特的家里。其中一大半是称赞、恭维的贺卡，但也不乏邀请他去演奏或创作的信函。所以大主教故意邀请他到城堡内为客人演奏。亲眼见到这位誉满欧洲的音乐神童不仅熟练地奏出有名的曲目，也即兴演奏，把大主教逗得笑呵呵，当着大家的面拍手称赞："好好好！果然名不虚传！"

停留在伦敦的那段时间，莫扎特频繁接触意大利音乐，喜欢上

意大利音乐活泼的曲风。但是在欧洲大陆，德国音乐还是具有影响力，呈现严肃和庄重。莫扎特每天勤练韩德尔、卡尔（老巴赫的另一个儿子）、福克斯（写过歌剧《感谢帕尔纳斯神》）等前辈的作品。老莫扎特则在一旁默默观察、记录。他的记录本里详细地写着沃尔夫冈管乐和对位法的练习。

虽然练习的过程很辛苦，有时也很无趣，但是小莫扎特却能苦中作乐。他把乐谱中的三个声部拟人化，称它们为"阿尔托大人"、"高音进行曲"及"巴索公爵"，每天以它们为主角演出连续剧，为恼人、一再重复的苦练时间，带来些许的乐趣。

1767年3月12日，莫扎特与管风琴演奏家阿德加瑟尔及米歇尔·海顿[1]，三人合写了《第一戒律的责任》清唱剧，在萨尔兹堡首演。这部清唱剧的第一部分是由莫扎特独力完成的。

一个十一岁的男孩，和已经具有社会地位的成人合作完成一部清唱剧[2]，这是多大的肯定啊！莫扎特心里觉得很甜蜜，韩德尔十一岁也写出教会音乐和奏鸣曲，现在他追上韩德尔了。

接着，他为大学的一个节日，根据希腊神话改编一部拉丁文喜歌剧《阿波罗和亚森图斯》。

《第一戒律的责任》和《阿波罗和亚森图斯》都是沿用传统格式的宗教音乐，虽然没有展现莫扎特独特的创意，但音乐中却流露出一种柔美，正是莫扎特独有的音乐风格。

12月时，莫扎特回到萨尔兹堡待了一年，又开始打包行李，准备

1 米歇尔·海顿（1737—1806），是约瑟夫·海顿的弟弟。

2 清唱剧是没有服装和舞台动作、编制较小、时间较短、歌手较少的歌唱剧，可以不需要有特定内容的剧情，只是抒发情感。

动身前往维也纳。因为当年赏了两件衣服给莫扎特姐弟的玛丽亚皇后，她的女儿玛丽亚·卡罗琳公主，要嫁给那不勒斯的国王费迪南。为了这桩婚事，维也纳全城欢欣鼓舞，准备大肆庆祝。过去莫扎特姐弟曾经受到皇后的喜爱，在这么重要的日子当然不能缺席。何况各国的使节、王公贵族也都会齐来庆贺，或许可以提供音乐家许多的机会，也是莫扎特一家不能错过的。

只是没想到，命运竟捉弄人，可怕的天花袭击维也纳，不仅在巷弄间夺走老百姓的生命，连躲在深宫内苑准备当新娘的卡罗琳公主也染上天花去世。莫扎特一家夹在难民中，仓皇地逃离维也纳，但是已经太迟了，莫扎特第一个露出病容，姐姐娜奈跟着也躺在病床上，发高烧，脸上长着红疹……大家都非常害怕，但是爸爸、妈妈可不会轻言放弃，他们不眠不休地照顾，才没让死神带走这对姐弟。

1768年1月10日，姐弟俩的身体才刚刚恢复，爸爸又带着他们回到疫情已经缓和的维也纳，毕竟这里还是音乐的首都，可以有比较多的机会。只是他们在维也纳住了将近一年，爸爸失望了。莫扎特十二岁了，该脱离儿童时期，正式迈入少年阶段，“音乐神童”的光环逐渐消退。喜爱音乐的皇室正把所有的目光聚焦在约瑟夫·海顿的身上，忙着赞叹他的音乐有多澎湃、动人。才刚刚崭露头角的作曲家莫扎特，实在很难受到注目。

不过，命运之神偶尔也会眷顾他们。剧院经理和老莫扎特会面，希望和沃尔夫冈签订合约，为剧院写几部歌剧。只是，不知怎么一回事，这个机会像个玩笑似的，剧院经理消失无踪，事情不了了之，莫扎特再一次受到失望的打击。沃尔夫冈躲在维也纳的住处，除了苦练琴艺外，根据高特里尼的剧本，创作歌剧《善意的谎言》。老莫扎特

希望这出歌剧能在维也纳演出，多方寻求演出的机会，但是经过辛苦的交涉，一年后才在萨尔兹堡的主教节搬上舞台。不仅老莫扎特很失望，沃尔夫冈心中的苦涩更是难以表达。

幸好，另一则好消息又鼓舞了莫扎特全家。喜爱歌剧的麦斯梅尔医生是莫扎特一家的好朋友，他极力邀请沃尔夫冈写一部小歌剧，可以在他私人的剧院演出。如此盛情的邀请，沃尔夫冈打从心里高兴，他日夜思索，希望能写出一部符合医生期待，具有田园气息的歌剧。

这一天，他在练琴，脑中闪过"乡村占卜师"的剧本。原作者是法国的卢梭[1]，刹那间，几天来的苦闷全消失不见了。他转身回到书桌旁，拿起鹅毛笔，写下一连串的音符。

1768 年 10 月 1 日，为麦斯梅尔医生创作的德国歌剧《牧羊人与牧羊女》隆重演出。医生私人剧院的装潢风格，正好可以烘托剧中田园式的爱情。剧中描述巴斯丁与巴斯丁娜这对乡村恋人因故发生误会，幸得村中魔法师的帮忙才言归于好。

演出当天，除了盛装以赴的医生一家人外，莫扎特一家及相关的亲朋好友都在获邀之列，把剧院坐得满满的。终曲时，大家的喝彩声和掌声，为莫扎特的音乐生命重新注入力量。

距离 1768 年的圣诞节只剩下几个星期，维也纳上上下下都为欢度圣诞节而忙碌着，莫扎特却一个人关在房间里，认真地创作。因为宫廷注意到，当人家热热闹闹过节时，孤儿们却在冷冷清清的院区，吃着硬邦邦的面包。虽然早先有部分的贵族施舍了一些物品，但对

1 卢梭（1712—1778），是浪漫主义运动之父，主张人生而自由，但更强调牺牲自由以力求平等。著名的著作有：《爱弥儿》、《忏悔录》。

孤儿院的孩子来说，圣诞节是冰冷、阴暗的，一点儿也不快乐，也不具有希望。所以宫廷委托莫扎特，要他为孤儿院的孩子写一出属于他们的歌剧，并为他们演出。莫扎特很高兴得到这个机会，也愿意共襄盛举。在短短的时间内就完成了《庄严弥撒曲》，而且演出成功，让维也纳人再度注意到他。看到维也纳人的改变，老莫扎特当然很高兴。他写信告诉他的好朋友，信中充满了自豪。

“以前诽谤、不相信我们的人，以为只要不让沃尔夫冈写歌剧，没有演出的机会，就没有人会尊重我们，我们也只好乖乖地夹着尾巴回萨尔兹堡。但是，这一次的演出，宫廷成功地把尊重还给我们。维也纳人不得不承认，一个十二岁的孩子能创作一部歌剧，并亲自指挥，那是奇迹，是他们前所未闻的！”

虽然在维也纳这一年，莫扎特一家没有得到预期的欢迎与工作机会，收入也少得可怜。不过，维也纳毕竟是音乐之都，各种音乐在这里交错出现，尤其是在萨尔兹堡看不到的意大利歌剧，满足了莫扎特的需要。

莫扎特在维也纳欣赏到哈斯、比西尼顶尖的作品。他最喜欢格鲁克[1]的《阿尔塞斯特》。

看完《阿尔塞斯特》的那个晚上，莫扎特太兴奋了，睡不着觉，缠

1 格鲁克（1714—1787），被誉为德国歌剧改革者，主张：1）歌剧应以诗与戏剧为主，音乐为辅。2）创作时，要让观众听到歌手透过歌声延展戏剧，而且不会停滞。3）利用序曲，使观众预知随后即将展开的戏剧性质。4）顺应歌词的内容，使管弦乐法多加变化。5）咏叹调及宣叙调应避免太显著的差异。他的《奥菲欧与尤丽狄茜》和《阿尔塞斯特》演出成功，让他攀上荣誉的顶峰，成为当代最伟大的歌剧作家。

着爸爸,要他说说格鲁克的事情。老莫扎特知道,沃尔夫冈就是这样,喜欢一件事情时,专心投入的程度令人讶异,此刻若是不满足他的要求,他会整晚辗转难眠。何况格鲁克是位了不起的歌剧作曲家,有很多值得学习的地方。所以,老莫扎特搬了一张舒适的椅子,坐到火炉边开始介绍。

"就我所知,格鲁克的父亲是贵族的森林管理员,但他不想继承父亲的职业。因为他喜欢音乐,所以从德国跑到布拉格去,在那里的教会唱歌,在舞会演奏,努力学习成为一名大提琴家。"

听到这里,沃尔夫冈眼睛发亮地插嘴:"爸爸!他跟你一样哎!你也不要只当个书籍装订工。"

爸爸点点头继续说:"没错!我很欣赏他的勇气。而且你知道吗?他只比我大五岁,认真加上努力,很快就得到贵族的赏识和资助。而最重要的是,他遇见了好老师!就在他二十三岁那年,他随着亲王到米兰访问,拜马蒂尼为师,学习作曲长达四年之久。"

说到这里,老莫扎特挺起上身,瞪着莫扎特,口气转为严肃。"沃尔夫冈,我要提醒你,要想出人头地,就得吃苦。肯吃苦,好老师才愿意教你。因为老师的严厉,我们才会有好成绩。懒惰的学生,好老师不要教,就算他多有天分,只有浪费掉了。格鲁克是很好的例子。"

莫扎特没想到爸爸突然露出这么严肃的表情,也瞪着爸爸看了好一会儿后,信誓旦旦:"爸爸,音乐是我的生命!再多的苦头,我也不怕!"

爸爸相信沃尔夫冈的决心,眼光转回火炉,继续介绍格鲁克。"他创作了许多的歌剧,作了相当多的改革,最近的作品是你看过的《奥菲欧与尤丽狄茜》,剧本根据奥菲欧的古老传说改编。我记得 1762 年

10月在维也纳首演后，评论呈两极化：喜欢的人极力称赞，说他为歌剧注入新生命；不喜欢的人则诋毁，批评他不懂歌剧。”

莫扎特忍不住插嘴，“我认为《奥菲欧与尤丽狄茜》的音乐纯朴优美，很讨人喜欢。而且格鲁克先生把意大利歌剧风格、法国歌剧中的合唱及芭蕾结合，也就是把活泼的意大利旋律、庄严的德国歌剧和典雅的法国歌剧，巧妙地融合在一起，让人耳目一新。不过这一切都比不上他的《阿尔塞斯特》。”

听到沃尔夫冈开始比较风格、谈旋律，爸爸想多知道他的想法。“为什么你比较喜欢他的《阿尔塞斯特》？”

“我注意到《阿尔塞斯特》有一些创新！”莫扎特一条一条地分析。

“第一是他的序曲，让我觉得有导入剧情的功能，而不只是留时间给观众入座的背景音乐。

“第二是管弦乐队也可以表达情感，并非只是歌手的陪衬。

“第三是男主角。他大胆地以真正的男高音来唱，而不是阉人歌手[1]。真正的男高音牵动了现场观众的情绪。

“第四是减少了换景的次数，使戏剧顺畅进行。

“最后是，秉持他一贯的风格，合唱成了重要角色，壮大了歌剧的气势。”

“你说得不错！”爸爸肯定沃尔夫冈的看法，“歌剧作曲家可以依

1 阉人歌手是男性成人，但在童年期实行阉割手术，以保持变声期前的嗓音，而且终生保持童声的音域和音质。他们在仪式中唱复音乐曲的高声部，以少年的喉音、成人的肺活量，声音特别高亢响亮，音域宽广且具独特音色魅力。从中世纪起，阉人歌手在宗教音乐中极受重视。

照自己的意念来创作。但是，不能忽视观众。”

爸爸提出不同的意见：“就以‘真正的男高音取代阉人歌手’这个改革来说，你认为有很好的效果，可是大部分的观众却无法接受；他们觉得少了花哨、脆亮的嗓音，这出歌剧还有什么值得欣赏的地方？”

莫扎特急着解释：“我也是观众啊！我的意见应该可以被接受吧！”

“好评与否，取决于大多数观众。”爸爸希望沃尔夫冈可以理解，“尤其是皇室与贵族的口味一定要注意。如果他们不能接受，再好的作品也会被打入冷宫！”

爸爸的这一番话其实有很深的感触，因为他也常常在满足自己或满足大主教的需要间挣扎，他试着去揣摩，但常常失败。

到现在为止一直被称赞与宠爱的莫扎特，很难理解作品何以不受欢迎。在他的印象中，他所到之处全是掌声和喝彩，哪来的批评？他认为，会产生这样的结果是大人的懦弱，如果是对的，而且是好东西，为什么不坚持呢？

不过，他爱爸爸，不愿当面顶嘴。所以他假装顺从地点点头，然后亲吻爸爸的额头，安静地上床睡觉。

沃尔夫冈·阿玛迪斯·莫扎特

在维也纳期间，莫扎特的音乐敏感也嗅到特别的味道。德国音乐创作因为约瑟夫·海顿等人的倡导，正在改变创作的方向。这些改变正是他喜欢的，他准备加入其中。

但是这时，萨尔兹堡的大主教开始不耐烦了，遥远的美名并不能安抚城堡内的窃窃私语:为什么老莫扎特可以请长假?乐团演出时,指挥老是缺席,为什么还可以领薪水?……这些窃窃私语也传到大主教的耳里,让他的管理产生困难。而且老是有人在他耳边嘀咕,怀疑那些推荐信或介绍函有一大部分可能是老莫扎特拜托来的,小莫扎特并不如外界传言的那么神奇。这一切让大主教很不高兴,为了让那些人闭上嘴巴,他发了一封信给老莫扎特,信中严厉地通知老莫扎特,不再发给他薪水。但他是一个宽宏大量的大主教,仍然欢迎莫扎特一家回到萨尔兹堡,甚至愿意给莫扎特安插一个宫廷乐师的职位。

这真是一个不幸的消息,逼得老莫扎特带着一家人匆匆忙忙地回到萨尔兹堡。大主教立刻传唤小莫扎特到自己的城堡。老莫扎特陪着儿子走到城门时,却被挡了下来。

老莫扎特讶异地问:"为什么我不能进去?"

卫兵挡住他的长矛动也没动,冷冷地回答:"大主教交代,只有小莫扎特可以进去。"

"我是他爸爸,而他还只是孩子,他……他才十三岁!"老莫扎特气得脖子都红了。

卫兵瞟了他一眼,弯下腰,低声说:"老莫,你知道大主教的脾气,就不要找我的麻烦啦!相信我,两个小时后,他就会回到你的身边了。"

没想到,整整一个星期后,莫扎特才离开大主教城堡。

原来,大主教为了向大家证明莫扎特的能力,故意将他与父亲隔离,要他自己创作出一部歌剧。

那一天,十三岁的莫扎特被带到大厅去见大主教。只见大主教坐在高高的椅子上,望着莫扎特,开口就说:"我听了许多有关你的传

闻，我也知道你父亲认真地教导你，孩子，告诉我，你父亲教了你哪些东西？”

莫扎特恭恭敬敬地站着。“我认真学习严格写法的对位法[1]，还学习演奏各种乐器。”

大主教倾着上身，目光严厉地瞪着莫扎特。“那么……你会什么？”

莫扎特用微笑响应。“我会创作音乐作品。”

大主教故意把莫扎特留在城堡里，没有父亲的帮忙，在短短的一个星期内，写出节日清唱剧的第一乐章。这一招很厉害，那些爱咬耳根的人，现在全乖乖地闭上嘴巴了。

然后，大主教把老莫扎特也叫进城堡，“果然名不虚传，太好了。等他写完约瑟夫大公指定的歌剧，我要请他担任宫廷乐长的职位。”那样子比老莫扎特还得意！

约瑟夫二世委托的歌剧《善意的谎言》演出非常成功，大家不再怀疑莫扎特的能力。同时，大主教也承诺会再给莫扎特父子一段假期，好让小莫扎特学习更多的音乐技能。

有大主教的支持，莫扎特一家都非常高兴，尤其是迈入青年阶段的沃尔夫冈，更需要外出学习。这世界太大了，他不能当井底之蛙！

1769年12月，又到了圣诞节期间，萨尔兹堡到处响着圣诞节的音乐，家家户户洋溢着团聚的喜悦。可是，莫扎特却悄悄地准备着要

1　对位法是音乐史上最古老的创作技巧之一。指的是在音乐创作中，使两条或更多条“独立的”旋律同时发声并相互融洽的创作技巧。不仅西洋音乐如此要求与呈现，中国的黄梅调及客家人的山歌，都有类似的技巧展现。

出远门，不是维也纳，不是法国或德国，而是欧洲的南端——意大利。这一趟是爸爸计划许久的旅行，因为种种的考虑无法让妈妈和姐姐同行。原因之一是，姐姐已经十八岁了，不太适合在外面跑来跑去，何况她开始教授音乐，她的耐心和教法得到学生和家长的肯定，有丰厚的收入，比起巡回表演好多了。只是少了姐姐作伴，莫扎特觉得很不习惯。

幸好，莫扎特一向乐观，充满好奇，很快就被外界新奇的事物转移注意力。在报平安的家书中，他告诉妈妈和姐姐路上的见闻。

> 我最爱、最爱的妈妈：
>
> 您和姐姐都好吗?
>
> 这一趟旅行实在太有趣了！我的心充满快乐，因为我和马车夫变成好朋友了。
>
> 虽然坐在车里很热，但因为马车夫是个有趣的小伙子，为我们平淡的旅程增添了许多乐趣。最妙的是，只要路面平坦，他就把马鞭挥得嗖嗖作响，催促马儿快跑。然而马儿一跑快，马车就喀啦喀啦响起来，好像快解体了。这时，凉风大量灌了进来，我们也就不热了。

信中热情洋溢，充满孩子气，让妈妈和姐姐在担心之余，忍不住笑了起来。

事实上，莫扎特才十四岁，有理由保持快乐的心，而且晴朗、鲜亮的意大利正在向他招手。往南走的路上，沿途都是他不曾见过的景色。雪景逐渐消失，取而代之的是各种不同的绿：浓绿、鲜绿、翠绿、

嫩绿、浅绿……加上耀眼的阳光、争奇斗艳的花朵、湛蓝的地中海天空，把莫扎特的眼睛都看花了；还有热情款待的意大利人，让莫扎特很快把对家的思念丢在一旁。

莫扎特才到意大利，就被那里所有的一切迷住了，为了表示喜爱，他为自己用拉丁文取了一个新名字：阿玛迪斯。阿玛迪斯在希腊文的原意是“神所宠爱的”。莫扎特的确也这么认为。所以从现在开始，他就叫沃尔夫冈·阿玛迪斯·莫扎特。

意大利人也给他热切的回应。在维罗纳地区发行的《维罗纳报》在1770年的1月9日刊登了他们的欢迎。

> 我们这个城市十分欣赏德国男孩沃尔夫冈·阿玛迪斯·莫扎特的音乐才能[1]。他才十三岁，却已经是萨尔兹堡的宫廷乐师了。
>
> 上个星期五，华丽的爱乐乐团大厅，就在众多的贵族面前，沃尔夫冈·阿玛迪斯·莫扎特展现他的音乐天分，造成轰动！

接下来，莫扎特来到芒都，在爱乐皇家协会举行一场演奏会。节目单上总共有十四个曲目，莫扎特一首接一首熟练地演奏出来。当观众大喊“安可”时，他露一手即兴演奏；由观众现场提供乐谱，而他只看了一眼，随即演奏出来，一个音也没错。接着，他演奏各种乐器，不管是大键琴、小提琴，或管风琴，没有一样能难倒他。观众随之疯狂，大声喝彩、猛力鼓掌，“安可”声震动了门窗。最后，莫扎特不得不演奏自己的作品作为终曲，现场观众才依依不舍地离去……

---

1 当年，萨尔兹堡、奥地利都属于德语系的地区，和意大利语系的国家不同，所以意大利才会称莫扎特为德国小男孩。

到米兰学习

1770年1月23日，莫扎特和爸爸来到米兰。

米兰位于阿尔卑斯山南麓，是欧洲南部的一个十字路口。肥沃的波河平原就在身旁，很早就具备发展的好条件，在罗马时期即是北意大利的贸易中心。

当父子俩所坐的马车进入米兰时，爸爸的米兰历史介绍正进入尾声："大约公元前222年，米兰就已开发；公元3世纪末，罗马皇帝将米兰纳为皇帝的财产；公元313年，君士坦丁大帝在此颁布重要的'米兰诏书'，宣布基督教为罗马的国教。有一段时间，米兰是意大利王国的首都。"

莫扎特一边竖尖耳朵听爸爸的介绍，一边睁大眼睛，忙着打量窗外所有的一切。这时，爸爸的口气一转，"四十年前，毁灭性的黑死病[1]侵袭米兰，死了许多人，几乎让米兰变成一座空城。"

莫扎特倒抽一口气，把眼光调回爸爸的身上，眼中充满恐惧。"黑死病！那不是很恐怖吗？我们会不会被……"

爸爸安慰他："会不会被传染？不会啦！那是四十年前的事了。现在的米兰又漂亮又热闹，也是一个学习音乐的好地方。你要好好把握唷！"

"嗯！"莫扎特眼中燃起热切的希望。"会的！我一定不会错过任何的机会。"

---

1 黑死病的病原是鼠疫菌。人类若是被患有这种病的啮齿类动物，如野鼠、旱獭等所附生的虱子叮咬，病菌就会传入人体之内。黑死病的传染方式大概是鼠疫菌→鼠→虱子→人。此外，黑死病可经由患者的咳嗽、喷嚏传染，属于飞沫传染。

在米兰，意大利伦巴第的首长，也是前任大主教的侄儿冯·费尔曼伯爵，接待莫扎特父子。这段期间，当地正在举办热闹的狂欢节，到处有音乐会和歌剧上演，街上全是载歌载舞的人群，处处洋溢着热闹的节庆气氛。

莫扎特看得目不暇给。这里的一切和冰冷、严肃的萨尔兹堡截然不同。缤纷的色彩、热情歌舞的人群、美味的食物……每一样事物都刺激着莫扎特的感官。

两年前，莫扎特在维也纳看过比西尼的作品《快乐的女郎》，非常喜欢。在此地比西尼的新作《埃及的凯撒》已经完成，即将上演。歌剧在杜卡尔剧院[1]彩排的时候，莫扎特父子还获邀观赏，那是很大的荣耀，也让当地的贵族注意到这对来自萨尔兹堡的父子。没多久，他们又被邀请去聆赏博切里尼的音乐作品，对莫扎特有很大的启发。

停留在米兰的期间，他们不仅聆赏许多音乐作品，也去参观重要的圣玛利亚修道院。修道院餐厅的墙壁上，有达芬奇[2]的名作《最

---

1 杜卡尔剧院于1717年创立。1776年剧院发生大火，几乎化成灰烬。1778年重建，更名为米兰斯卡拉歌剧院。剧院外貌看来平淡无奇，属新古典风格，剧院内的演奏厅设计呈马蹄形，可容二千八百名观众。斯卡拉歌剧院和那不勒斯的圣卡罗剧院、威尼斯的费尼斯剧院，并称为意大利歌剧的三大圣殿。全世界第一流的歌唱家和音乐家，都以在这举世闻名的斯卡拉歌剧院演出为毕生荣耀。

2 列奥纳多·达芬奇（1452—1519），是近五百年来各个领域公认的天才。他对于文学、科学、数学和艺术都感兴趣，身兼画家、雕刻家、建筑师和工程师等各种身份，留下一万三千页左右的笔记和素描。从手稿内容，我们晓得他解剖过人体，构想过飞行器，会制造迫击炮，设计长达三百米的桥梁，在光学、机械、天文、地质学上也都有相当深入的研究。他还是个音乐家，会演奏各种乐器，还会自己动手做乐器。有名的画作如：《最后的晚餐》、《蒙娜丽莎》。

后的晚餐》。

一个安静的午后，莫扎特站在墙壁的对面，静静地、仔细地看着达芬奇的这幅名画。虽然不时有人走过墙壁前面，遮住他的视线，但都不影响他的沉思。莫扎特看到：耶稣和他的十二位门徒坐在餐桌旁，共进庆祝逾越节的晚餐。这是他们一起吃的最后一顿晚餐。耶稣告诉门徒，他们之中有一个人将会出卖他。但是耶稣并没有指出是谁，众门徒也不知道谁会做出这件事。

莫扎特的手没举起，手指头却轻轻地数着。沿着餐桌坐着十二个门徒，形成四组，耶稣坐在餐桌的中央，他以悲伤的姿势摊开双手，示意门徒中将有人出卖他。大多数的门徒在激动中一跃而起，可是耶稣的形象却很平静。

莫扎特注意到，耶稣背后的窗子衬托出他清晰的轮廓，透过窗户，湛蓝的天空犹如一道光环环绕在耶稣的头上，显示耶稣恬静的心情。

在耶稣右边的一组人中，有一个黑暗的面容，他朝后斜倚，仿佛躲在暗处就没人认出他来了。但是，达芬奇清楚地描绘出餐桌上他手里抓着的那只钱袋。

莫扎特往前靠一大步，希望能看清楚那人的面容。没错，达芬奇明白地指出，他就是那个叛徒——犹大。手中的钱袋是他的象征，钱袋里装着出卖耶稣得来的三十个银币。

莫扎特的视线朝旁边移动，犹大的阴影旁是圣彼得，他有一头银丝和一双白皙的手。彼得垂在臀部的右手握着一把刀，好像不经意地，刀尖竟对着犹大的背后。再过去一位是圣约翰。所有的门徒中，他是耶稣最喜爱的一个。约翰像耶稣一样的平静，他已经领悟耶稣的话了。

莫扎特的眼光转回耶稣的左边，是小雅各，他试着去理解所听到的可怕语言，两手摊开，惊叫起来。从小雅各的肩上望去，达芬奇画出疑惑不解的多马，他怀疑的神色经由竖起的手指表现出来。在小雅各的另一边，圣腓力上身往耶稣靠去，双手放在胸前，似乎郑重宣布："您知道我的心，我是永远不会出卖您的！"他的脸由于爱与忠诚而露出苦恼的神情。

莫扎特也看到其他的门徒，有人举起手似乎要求安静，好听清楚耶稣所说的话；有人则凑在一起，交头接耳地讨论，全都一副不可置信的模样。

莫扎特就这样静静地站着，不受其他人干扰，看了又看，仿佛要把这一幅图像深深地印在脑海中，永远不要磨灭。

老莫扎特也不去催促，他知道，沃尔夫冈必须像海绵一样，努力吸收外界的刺激，慢慢地转化成自己的内涵，进而才能创作出属于自己风格的作品。

在米兰，莫扎特父子陆续在盛大的音乐会上露脸，意大利的贵族亲耳听到这位"传说中的音乐神童"的演奏，都给予极高的评价。没多久，接待他们的冯·费尔曼伯爵举行一场音乐会，邀请一百五十位王公贵族现场聆赏莫扎特神奇的演出，称赞声不绝于口。因此，莫扎特终于得到写一部庄歌剧[1]的机会。

12月，《彭特王米特里达特》在米兰首演。这是莫扎特创作的首

1 庄歌剧在18世纪发展到巅峰。剧情随着宣叙调而起伏，咏叹调则用来自由地抒发情感。从梅塔斯塔兹开始，后来写这类歌剧剧本的人，都透过剧中的神话人物来宣扬德行。

部庄歌剧。故事取材自稗官野史，叙述彭特王米特里达特与年轻的艾丝巴希亚定下婚约，但他的两个儿子也爱上这位未来的母后，因而衍生出一段家族伦理的爱恨冲突。在这部作品中，莫扎特沿用歌剧的传统形式，让乐曲和宣叙调交替出现，以表达主角的内心情感，推动剧情的发展。

当天演出的现场，狂热的观众掌声如潮，不断地高呼“万岁！”“了不起！”“安可、再来一个！”这一切，让爸爸非常满意，更有信心地往南走，他们要前往罗马。爸爸相信罗马有更多更好的机会等着他们！

离开米兰，经过帕尔姆，莫扎特因为女高音阿古嘉里而留下深刻的印象。阿古嘉里嗓音清脆嘹亮，演唱技巧又圆融熟练，让莫扎特每一次想起来，仿佛仍在耳边缭绕，久久不会消失。

莫扎特的耳朵外型虽然有些缺陷，但是他天生就有好听力，对声音非常敏感，尤其喜欢好嗓音。他曾经赞叹格鲁克在歌剧中大胆起用男高音，虽然男高音没有阉人歌手奇丽清扬的嗓音，但是他们的浑厚雄壮正好赋予角色生命，才能令人感动。而阿古嘉里的女高音尤其动人心弦，让莫扎特不能忘怀。因此他不知不觉中就把这种迷人的地方写进所创作的歌剧中。后人可以在他的歌剧中，找到许多女高音表现的地方。

虽然阿古嘉里的嗓音很迷人，但是莫扎特迫不及待地离开帕尔姆，奔往波隆纳，因为他要正式拜师学艺了！这可是一位了不得的老师，被尊为音乐学的先驱，被全世界敬重的马蒂尼。

莫扎特还记得，在观赏完格鲁克《阿尔塞斯特》歌剧的那个晚上，他和爸爸坐在火炉边的谈话。爸爸曾经特别提到，格鲁克受过马蒂尼的教导，长达四年之久，这应该是格鲁克的作品何以优秀的原因——受教于良师。这句话给莫扎特很大的启发，他期待有朝一日也可以投到马蒂尼的门下，当他的学生。他甚至暗暗发誓，就算马蒂尼冷落他、给他脸色看，他都会忍耐下来，好好地学习。因为，马蒂尼已经六十四岁了，谁知道他还愿意教几年呢？莫扎特可不愿意错失这一次难得的好机会。这也是他们急急奔赴波隆纳的原因。

而马蒂尼被誉为音乐学理论的权威，不是没有原因。他有卓越的作曲才华，也具有数学天赋，收过几位鼎鼎有名的学生，格鲁克是其中的一位，约翰·巴赫也曾上门求教。但是，最了不起的是他的人格，虽然教出这些优秀的学生，他却一点儿也不自大自夸，安静地隐居在修道院内。

马蒂尼的父亲是一位提琴手，教他认识了音乐的组成元素，及小提琴演奏的技巧。后来，他又向普拉迭里神父学习声乐及古大键琴的演奏技巧，同时向别的老师学习对位法。有了这些基础后，他的爸爸又教他认识古典音乐。最后他进入圣方济修道院成为修道士，于1722年正式成为一名修士。

1725年，十九岁的马蒂尼接下圣方济教堂的小礼拜堂院长一职，这时他的作品引起大家的注意。因此，他接受邀请，担任以教授作曲为主的音乐院院长一职，培养了许多著名的音乐家。他不仅热心教学，也是一位乐谱收藏家，收藏了大量的乐曲作品。这些，当然也是吸引莫扎特去亲近马蒂尼老师的原因。

这一段师生关系，互动很好。马蒂尼引导莫扎特认识许多前辈

的作品，严格地指导他意大利歌剧中对位法的练习。莫扎特也认真听话地照做了，尽量按照老师的指导，不让过去的训练影响现在的学习，但是他娴熟的演奏技巧总会在不知不觉中流露出来。马蒂尼老师看在眼里却不动声色，可是那闪亮的眼睛又让莫扎特知道，老师对他熟练的演奏技巧很欣赏。

因为时间的关系，莫扎特无法像格鲁克在老师的身旁学习四年，他只能停留三个月，但是这三个月却丰富而快乐，留下了美好的回忆。

在意大利游学

在前往罗马之前，他们来到佛罗伦萨。

打从莫扎特父子俩一进意大利，就老被问道："会不会去佛罗伦萨？不去可惜唷！"那模样似乎是说，若是错过佛罗伦萨，是人生的一大憾事！

也许是意大利人的吹嘘，也许佛罗伦萨真的值得一游，既然会经过，何不进去探访一番，或许会有意想不到的收获唷！

当莫扎特坐在马车中，摇摇晃晃地进入佛罗伦萨时，眼睛不禁为之一亮，真的，别名"花之都"的佛罗伦萨，处处都流露出浓厚的艺术气息。首先映入眼帘的是由东而西穿过城市的河流，平缓的河水、两岸蓊郁的树林，为佛罗伦萨带来特殊的景致。

执掌佛罗伦萨政权的美第奇家族喜欢文学艺术，聚集各种人才，为佛罗伦萨开创精神层次的财富，使佛罗伦萨成为文艺复兴的重镇，因此目光所到之处都有艺术：以粉红色、绿色、奶油白三色大理

石砌成的百花大教堂；美第奇家族所住的维奇奥王宫，米开朗基罗[1]雕刻的“大卫像”一直守候在门口左侧，门前的广场还有许多著名的雕像……莫扎特父子都找机会去观赏一番。

他们穿街走巷时，也会向擦身而过的当地人打听佛罗伦萨的种种。热情的佛罗伦萨民众不厌其烦、滔滔不绝地介绍引以为傲的历史，尤其是四百年前从黑死病的灾难中重生，代表佛罗伦萨坚毅不拔的精神。

告别佛罗伦萨，莫扎特父子继续往南走，随着各地拥来的人群，进入罗马城。进城的人不是牵牛赶羊，就是推着装满谷物的手推车，挤在窄窄的通道上，动弹不得，互相吆喝、谩骂。莫扎特所坐的马车因而困在路上，进退两难。玩兴大发的莫扎特等得不耐烦，跳下马车，决定跟着人群进城。爸爸不放心，问清楚旅馆的位置，要马车把他们的行李随后送到，他则和沃尔夫冈徒步进城。

在上坡的路段，他们遇见一位推车的老伯，车上的柳条篮里装满一罐罐的橄榄油。老伯吃力地推着，莫扎特忍不住伸出手来帮忙。爸爸看到他爱心的举动，也高兴地卷起袖子一起推车。

车子推到有喷泉的小广场，老人用瓦罐装水给两人喝，自己则点上用草秆做的烟斗，坐在广场旁的矮石墙上，问道：“打哪儿来的？”

莫扎特好奇地东张西望，嘴巴没忘了回答：“萨尔兹堡。”

---

1 米开朗基罗（1475—1564），和达芬奇一样，也是意大利文艺复兴时期最出色的艺术家之一。西斯廷教堂天花板壁画《创世记》及《最后的审判》这两幅空前伟大的杰作，使米开朗基罗成为世界闻名的大画家，被后人誉为16世纪欧洲最伟大的艺术家。重要作品包括：教皇陵寝、西斯廷教堂天花板壁画、圣彼得大教堂圆顶，以及无数的雕刻。

老伯的眉毛扬了一下，“很远唷！”继续问：“第一次到罗马来？”

莫扎特和爸爸一起点点头。

老伯拿下烟斗，笑眯眯的。“既然来了，就会见识到它的伟大！”

看起来，老伯想要开始介绍罗马了，莫扎特赶紧也坐下来。

“罗马原来是河畔城市的意思。因为台伯河弯弯曲曲，由北而南地贯穿罗马城的缘故。后来，一度又被称为七丘之城，因为有七座山丘围绕在旁。”随着老伯的手势，莫扎特看到城外绵延的小山丘。“但是，这些都不是让罗马伟大的原因。历史！是历史让罗马伟大！

“早在耶稣诞生之前，凯撒大帝就成为罗马的统治者，颁布全新的历法。接着，被尊称为奥古斯都的屋大维，成为罗马的第一位皇帝，将罗马建设为繁荣、富足的城市。往后的几百年，罗马一直是世界上最大的城市，即使鞑靼入侵欧洲，罗马都没有败亡。”

为了说得更清楚，老伯把烟斗拿下来。“历史加上建筑，让罗马更宏伟：一千多年的圆形竞技场、哈德良皇帝建造的万神殿、西斯廷教堂内米开朗基罗的画作《创世记》和《最后的审判》，还有宽广的圣彼得大教堂及广场……这里的一切，只能用瞠目结舌来形容！”

老伯把烟灰敲到地上，然后慢吞吞地把烟斗收进口袋，重新推起车子，用下巴指指旁边的巷子，“你们住的旅馆朝左边的巷子走进去，再拐个弯就到了！”他的车子走远了，声音还随风飘过来，“离开罗马之前，别忘了到幸福喷泉许个愿，会带来好运唷！”

看着老伯逐渐远去的身影，莫扎特和爸爸相视一笑，多有趣的老伯！以他的城市为傲，让每一个来拜访这座城市的陌生人立刻感染那份热诚。

根据老伯的指示，莫扎特和爸爸走进曲折的小巷。小巷的两侧

是老旧的石头房子,墙缝里不是冒出小草,就是长着小树,偶尔头顶上会有个拱洞,要人低头穿过。只要愿意,抬起头来,眼睛越过低矮的屋顶,随时可以看到教堂的尖顶和钟楼。穿出小巷,一条古罗马的石板路横在眼前,石板上刻着深深的车辙。

罗马的宗教活动很频繁,城内到处矗立着雄伟的教堂:最早被正式承认的基督教堂——圣玛利亚教堂、布拉曼特修道院、天主教圣伯多禄大殿,及拉丁语意为"先知之地" 的梵蒂冈。教堂建筑,或雕梁画栋,或精致小巧,教人看得眼花缭乱。

莫扎特父子除了参观教堂、参加宗教活动外,主要是会晤那些有地位的贵族。而在罗马的那一个月,莫扎特仿佛住在天堂,天气晴朗,阳光明媚,人群可爱热情。罗马人对莫扎特也印象深刻,牢牢地把这位十四岁的年轻人记住了。故事发生的地点是西斯廷教堂。

西斯廷教堂除了拥有米开朗基罗的画作《创世纪》和《最后的审判》外,还有一首专有的宗教乐曲《苦难》,那是格雷戈里奥·阿列格里的大型多声部合唱作品,只供圣彼得大教堂和梵蒂冈的合唱团专用。每年只在圣周时演唱两次,开放给一般大众聆赏,但是严格规定,进教堂民众不准现场抄写笔记,以免流传。

莫扎特随着汹涌的人潮进入西斯廷教堂,好奇地四处打量这座几百年历史的老教堂,但是等到乐音一响起,他立刻沉浸在音乐中,目不转睛地盯着合唱团看。

回到下榻的旅馆,他马上坐到桌边,把他听到的写下来,经过确认,竟然准确无误,使得这一部原来是罗马教皇私有财产的乐曲,可以广泛地供老百姓欣赏。

离开罗马的这一天,莫扎特起个大早,先爬上城后的小山丘,从那里可以眺望整个罗马城，浓绿的林间隐约可见赭红色的屋顶、碧蓝的天空，及远处闪着白光的雪山。然后，他沿着曲折的小巷，来到圣彼得大教堂前的幸福喷泉（又称许愿池）。池里，富足女神与健康女神长年伫立在海神两旁，精致的雕刻仿佛在向他招手。

莫扎特站在池边，想着入城时老伯的提醒，也想到罗马人常提到的美丽传说：一个即将离开罗马的人，只要背对喷泉，往后抛一枚硬币落入水池，不仅会健康富足，还会回到罗马来。

所以，莫扎特将藏了许久的硬币从口袋掏出来，背对水池抛进去。当他听到硬币掉落水池的叮当声，心里也许下"再来罗马一次"的愿望。他相信，这个愿望一定可以实现。

离开罗马，他们充满期待地往南走。在佛罗伦萨、罗马虽然游赏了美景，却没有金钱的收入，爸爸有点儿心慌了。但是走过几个地方后，爸爸发现机会更渺茫，正在犹豫是否继续往南时，好消息传来，教皇克莱芒十四世要在罗马颁发金十字骑士勋章给莫扎特。这是很大的荣耀。以前格鲁克也曾得过这项荣誉。看来，莫扎特在幸福喷泉许下的愿望，真的实现了！

只是，爸爸在回程的路上不小心扭伤了腿，得去波隆纳治疗。不过，塞翁失马，焉知非福？莫扎特倒因此常常可以去请教马蒂尼老师。老师很高兴莫扎特的来访，教他新的管风琴赋格曲，并且耐心修正他的练习。同时，马蒂尼老师推荐他成为波隆纳爱乐协会的会员。

过去，波隆纳爱乐协会有个严格的规定，只接受年满二十岁、具有优秀音乐才艺的人入会。马蒂尼老师的强力推荐，加上莫扎特优异的表现，爱乐协会谨慎研议后，决定破格录用这位只有十四岁的音乐家。在当时，这造成很大的轰动，也传为美谈。

这一年的12月26日,莫扎特9月才动手写的歌剧《彭特王米特里达特》在米兰首演,大获成功。爸爸高兴地写信回家报告这个好消息。

亲爱的安娜:

我忍不住要提笔告诉你这个天大的好消息!

26日在米兰首演的歌剧《彭特王米特里达特》受到热烈的欢迎!

你知道吗?沃尔夫冈9月才动笔写这出歌剧。他先写宣叙调,再根据歌手的特质写乐曲。因此,观众要求女高音再唱一次。你知道的,在一般的情况下,观众不会在首演当天要求女高音再唱一次的。但是,我们的沃夫冈却做到了,因为他让女高音发挥她的极致,让现场"安可"声不断。啊!即使现在回想起来,我忍不住还会热泪盈眶……

再过几个月,我们就会回去了。想念你们。祝

一切安康!

你最诚挚的利奥波德

1770年12月29日

一切都变得顺利了,莫扎特接受邀请,又写了一部歌剧及一部清唱剧《解放了的贝图里亚》,这是他唯一的一部清唱剧。

1771年的3月,他们回到萨尔兹堡,回到想念的妈妈身边。大主教保留他宫廷乐师的职位,才十五岁的莫扎特就领有一份薪水,家里的生活没有匮乏,一切好像都显得美好。

打击接连而来

1771年的夏天，莫扎特和爸爸再度前往意大利，参加费迪南大公10月15日的婚礼。莫扎特写了一部歌剧《阿尔巴的阿斯卡尼奥》来祝贺。歌剧在米兰首演非常成功，两天后又加演一次。

这一天，莫扎特在练琴的时候，听到爸爸和另一个人在窗外说话。

那人说："啊！您就是莫扎特先生吧，能认识您真是太好了。我们真心地喜欢沃尔夫冈·阿玛迪斯·莫扎特先生的歌剧，写得太好了！喔！对了，您看了今天的报纸吗？今天有一篇哈斯先生对这出歌剧的评论。"

"哈斯先生？！"老莫扎特声音里充满敬仰。"他是严肃歌剧音乐家，也是了不起的男高音。他？他怎么说？"

莫扎特换一段轻柔的曲目，继续弹着琴，耳朵却忍不住竖得尖尖的。

一阵报纸展开的声音后，那人读起报纸。"哈斯在米兰看了莫扎特的《阿尔巴的阿斯卡尼奥》后，发表谈话：'有了这个孩子，以后我们都会被遗忘！'"

老莫扎特没有答腔。他接过报纸，仔细地再看一遍。那人也没再说话。只有音乐从窗户里流泻出来。

那人咳了两声。"莫扎特先生，依你看，这是恭维，还是……嫉妒？"

"呵呵！"老莫扎特干笑两声。"我会把它当成恭维。毕竟，阿玛迪斯没有意思要去伤害任何人，他只是展现他的才能而已！"

这时，窗户里的音乐突然改变成轻快跳跃的曲风，好像在诉说弹琴人愉悦的心情。

不仅哈斯公开称赞，费迪南大公也很满意，不断地赞赏。

这一切都显得那么欢欣美好，爸爸因此动了一个念头，如果莫扎特能在大公的宫廷里谋到一个好职位，一定比待在萨尔兹堡好多了。于是，爸爸大胆却小心翼翼地向大公提出请求。大公微笑点头，没有当面给他答复，甚至几天后也没有任何的消息。

12 月时，他们听到一个令人伤心的消息。原来，费迪南大公是奥地利女皇的儿子。而奥地利女皇，就是当年把六岁的小莫扎特抱在膝盖上亲个不停，特别赏赐两件衣服的玛丽亚皇后，1770 年底还请莫扎特写了一首小夜曲呢！照理说，她应该对莫扎特有好印象，而且是印象深刻才对。但是，玛丽亚女皇在写给大公的信里，却这么说：

> 你要聘用这位来自萨尔兹堡的年轻作曲家，我不知道恰不恰当。
>
> 但是，我要提醒你，你真的需要作曲家这一类无用之人吗？
>
> 我不想劝阻你，因为如果你认为找个作曲家或无用之人可以让你快乐，我就不多说话。但是我说这些话的目的，是希望你不要被这些无用之人牵着鼻子走。
>
> 你要知道，这种人在世界到处游荡，就像乞丐一样，他们的服务其实一文不值，也成不了什么大事。何况，他还有一大家子的人要养……

这些话就像一盆冷水，劈头盖脑地泼下来，不仅让爸爸的希望

破灭，也把莫扎特本来高昂的心情打到谷底，他把自己关在房间里好几天。过去对意大利美好的感觉全部烟消云散了。

不仅这件事打击了莫扎特一家。1771年的12月16日，一直支持着他们家的大主教过世了。这一击更沉重！因为新上任的大主教作风严厉，十分节俭，而且他的一些新措施让萨尔兹堡的臣民觉得束缚。他一上任，就撤换老莫扎特唱诗班指挥的职位，让另外一个人来担任。莫扎特一家开始战战兢兢地过日子……

认识海顿爸爸

萨尔兹堡相较于意大利，生活保守、闭塞许多，加上新主教严厉的作风，萨尔兹堡显得死气沉沉。十七岁的莫扎特虽有满身的精力，却无处发泄，只有埋首于音乐创作。

离开意大利之前，他已经完成了弦乐四重奏中的六段新乐曲（K155—160）。这六段乐曲受到意大利音乐的影响，带着浓浓的怀旧气氛，部分慢节奏的段落还隐隐约约地透出他的不安，以小调来表现他受压抑的感觉。在这同时，他也为歌唱家罗兹尼写了一首《欢欣、雀跃》。曲末，罗兹尼洪亮的嗓音，重复唱出“哈利路亚”，仿佛夜空中不断迸放的焰火，激动了听众的心，大家忍不住跟着唱了起来。这才让莫扎特几个月来低沉、悲哀的心情，转换成高兴与快乐。

但是这样的高昂情绪并没有维持很久。过去的十年，莫扎特几乎都在旅行、巡回演奏中度过。此刻，为了每个月150弗罗林（当时的钱币名）的薪水、为了宫廷乐师的职位，他不得不困在萨尔兹堡这个小地方，等候指示，做出符合新主教喜爱的乐曲或歌剧，他认为自己被掐住脖子,快要窒息了!

也许别人认为这是一份稳当的职位,是一个保障。可是,为那些只喜欢时髦事物的观众,做出与自己所认知不同的音乐,莫扎特就是觉得格格不入,即使只是应付,他仍是百般的不愿意。

爸爸看出他的窘境,也深知如果继续这样下去,莫扎特的音乐才能只有耗损,不会增长。为了儿子,也为了一个有音乐才能的人,他不会放弃任何机会。因此,当他听到维也纳宫廷唱诗班指挥病重的消息时,马上发出一封求职信,并且开始整理行李。7月,新主教一准假,他们立刻出发前往维也纳。

过去喜欢他们的奥地利玛丽亚女皇亲切地接待了他们,但就是不提工作的事情。莫扎特父子也因为前一年玛丽亚女皇给儿子费迪南大公的信中明白表示音乐家是无用之人,而不敢贸然提出。因此,这个希望很快就破灭了。

不过,生命中也不全然都是低潮。这一趟维也纳之行有一个很大的收获,就是认识了约瑟夫·海顿[1]。他们的相遇,仿佛向日葵迎向太阳,大大影响了莫扎特的生活,让他高兴得好几个晚上睡不着觉,把所有的悲哀、压抑全丢到脑后,甚至认为,这比爸爸找了许久仍没有得到的职位重要多了!

相遇的起因是,这一年的夏天,海顿正好在维也纳发表新作《太阳四重奏》,音乐中蓬勃的力量和生气盎然的气息,冲击了莫扎特的心灵。

---

1 约瑟夫·海顿(1732—1809),被后代誉为交响曲之父,也被同时代的人尊为"现代器乐之父"。他是第一位认识并全力发展当时正萌芽中的交响曲和奏鸣曲曲式的作曲家。

两次的意大利之旅，莫扎特看到，也学习到意大利活泼、热情的曲风，而他一直希望有一天，他的意大利歌剧在歌剧圣地演出时，可以得到大家的肯定。但是《卢桥·西拉》歌剧的失败，让他重新审视意大利的音乐风格。他就像一个旅人，徘徊在十字路口，一边是意大利音乐，一边是德国音乐，教他不知何去何从。直到他听到海顿的音乐，才恍然大悟，只有在德国音乐中，他才有机会取得成就。

在维也纳，海顿听到莫扎特在夏天写的六首弦乐四重奏（K168—173），大为惊叹，写了一封信给老莫扎特，信中充满赞叹之词，其中一段这样写着：

> 上帝为我见证，我要诚实地说，您的儿子，沃尔夫冈·阿玛迪斯·莫扎特，是我认识的最伟大的作曲家！他的作品丰富，而且掌握了作曲最重要的技巧。

当时的海顿，在音乐界如日中天，莫扎特能得到他如此的称赞，心中的阴霾一扫而光。经过安排，他有机会和海顿见面。他们一见面，莫扎特立刻就喜欢上海顿，直觉地认为他就像另一个爸爸，在学习音乐的路上，会像亲爸爸一样，对自己关怀备至、耐心指导。因此，莫扎特昵称他为“海顿爸爸”！

短短两个月的相处，莫扎特知道海顿爸爸不为人知的坎坷身世。

海顿的父亲是制造车轮的师傅，没受过音乐教育与训练，但热爱流行于民间的民歌，而且会弹奏竖琴，常常在晚上下工后，全家人一起大唱民歌，由他负责伴奏。因此海顿从小就浸淫在音乐中，五岁会和父亲合唱许多流行歌曲，六岁开始学声乐，八岁考进维也纳圣史蒂芬大教堂的合唱团。十八岁时，穷苦潦倒，幸好遇见一位歌手兼音乐教师——麦克·斯潘格勒。他认真地学习，也成了一个以演奏、作曲和教学维生的自由音乐家。进而通过斯潘格勒的学生，结识意大利作家兼诗人梅塔斯塔兹[1]，及意大利籍的作曲家尼科罗·波波拉，成为波波拉的助手，了解意大利的音乐，学习有关作曲的知识。接着，经由波波拉的关系，海顿开始出入贵族社交圈，认识奥地利贵族芬伯格。

芬伯格算是海顿生命中的贵人。1757 年，他邀请海顿到他私人的乡村别墅参加室内乐演奏。为了这场室内乐，海顿写下最早的几首弦乐四重奏，没想到竟受到大家的欢迎，建立他作曲的信心。看到海顿交出亮丽的成绩单，芬伯格大胆地将其推荐给波希米亚的穆尔辛伯爵，伯爵非常满意，于 1758 年聘请海顿担任他的宫廷乐长。这是海顿的第一份固定职业，给他很大的鼓励。而他的四重奏与交响曲也才开始引人注意。

海顿在二十八岁结婚，但那是一段不美满的婚姻。认识海顿的人都知道，他太太是个不尊重音乐的粗人，曾经把海顿的乐曲原稿拿来卷头发，或当揉面团的垫纸；有时候会莫名其妙地对着海顿大吼大叫，骂他是穷光蛋；或是在海顿极需要安静作曲时，邀请她那帮吵吵闹闹的朋友在房子里开宴会，害得海顿不得不逃出家门。有这样的一个妻子，海顿因此写了一首 E 大调的《吾王拯救我》来讽刺这段婚姻。

在莫扎特与海顿爸爸的相处中，总是可以感受到他的幽默与善良。但是，只要一提到他的婚姻，海顿爸爸只有苦笑与摇头。他曾

1 莫扎特曾根据他的剧本改编歌剧《牧羊人国王》，在新主教的就职典礼中演出。

经指着妻子的肖像,无奈地介绍:“她,就是我太太。有很多次,她逼得我差点精神错乱!”

宫廷乐师的苦闷时日

欢乐的日子总是过得特别快。因为求职没有着落,和海顿爸爸分离的日子到了。9月,莫扎特父子挥别海顿爸爸和维也纳,回到乏味、沉闷的萨尔兹堡。

在萨尔兹堡,莫扎特必须记得自己的身份,是宫廷乐师,必须写宗教音乐及符合新主教口味的乐曲。莫扎特压抑为自己创作的冲动,努力迎合大主教和他的客人。海顿爸爸在维也纳听到莫扎特在1774年5月所写的《第三十号交响曲》,听出乐曲中轻佻的味道,海顿爸爸知道,莫扎特不得不向现实让步。然而这首曲子,新主教喜欢,萨尔兹堡的民众也喜欢。

当然,大部分的人并不知道,除了为新主教写曲子,莫扎特也悄悄为自己创作了几部作品,完全脱离意大利的格式,预先展示他未来创作的风格。第一部是英雄悲剧《埃及国王塔莫斯》,主题是善与恶、黑暗与光明的争斗。莫扎特很喜欢这个主题。第二部是以G小调写出的《第二十五号交响曲》,流露着悲剧感。第三部是《第二十八号交响曲》,音乐的张力弥漫整个作品。到了1774年初,《第二十九号交响曲》也完成了,和《第二十八号交响曲》一样,充满了张力。

这些作品让老莫扎特非常惊讶,十八岁的沃尔夫冈,脑子里到底藏了些什么?为什么能取之不尽地写出这些澎湃汹涌的作品呢?

接下来,连家人都吃惊,他的《第五号钢琴协奏曲》摆脱了意大利轻快欢乐的风格，鲜明地展现他独特的作风及作曲家高超的技巧。虽然这些都没有公开演奏的机会，但是老莫扎特相信，有一天一定有机会可以在众人面前演出。

因为有了这些高明的作品，老莫扎特的担心消失得无影无踪，因为就算短期内沃尔夫冈不得不向现实低头，作出讨好新主教及大众的乐曲，却一点儿也没折损他的天分。

果真，轻松应付完新主教，莫扎特又作出《巴松管协奏曲》（K191）和《第四号小夜曲》（K203）。这两首乐曲都带着愉快优雅的气氛。

1774年的12月初，十八岁的莫扎特和爸爸来到慕尼黑。天气非常冷，但是莫扎特却很兴奋，姐姐娜奈随后也赶到了，因为莫扎特的第一部喜歌剧《假女园丁》即将于12月29日首演。只是，期间出了一些差错，演员到了12月20日才开始彩排，加上莫扎特牙龈发炎，肿起半边的脸，只好把演出的日期往后延。幸好是往后延了几天，演员有充分的排练时间，可以仔细揣摩剧中人物的情绪，所以演出极为成功。

莫扎特在1月14日写给妈妈的信中如此形容：

> 妈，我真不知道该怎么向你描述那种轰动的景况，我只能说，掌声如雷！我真的很高兴……

这时，新主教也来到慕尼黑，所到之处，大家都极力称赞他的宫廷乐师，他假装不在意，其实心里很清楚，以后该怎么对莫扎特提出要求。

因为《假女园丁》加演的关系，莫扎特延长在慕尼黑停留的时间。这段时间，他为宫廷教堂完成两首弥撒曲，又利用几天的时间，完成圣歌《仁慈的多米尼》。

看到沃尔夫冈这么受欢迎，老莫扎特赶紧四处寄出求职函，可是一封回信也没有。显然，想在慕尼黑得到宫廷乐师的职位，是没机会了。

1775 年 3 月，他们赶在弗朗兹大公来访之前，黯然地回到萨尔兹堡。弗朗兹大公是奥地利玛丽亚女皇的第四个儿子。为了巴结皇室，新主教要莫扎特写一部歌剧《牧羊人国王》，用的是梅塔斯塔兹的剧本。

大公的来访，为萨尔兹堡平淡、沉闷的生活带来热闹的气氛。加上莫扎特精心创作的歌剧，博得大公及新主教的喜爱。可是，大公只是偶尔来访，热潮很快就过去了，平淡的日子又回来了。

幸好，无聊的时候回想和海顿爸爸相处的愉快时光，总会让莫扎特重新打起精神来，再度投入创作之中。这段期间，他创作了五部协奏曲，超越了流行的味道，大量使用小提琴，写出他积存已久对小提琴的喜爱，让他觉得非常快乐。而这些作品，除了表现他特有的华丽风格外，也让世人认识到他小提琴的音乐才华。

偏偏就在莫扎特想要一展才华的时候，新主教却关闭剧院，并且宣布不会再有任何公开的音乐活动或戏剧表演，莫扎特所有的音乐创作只能为新主教个人的需要而作，萨尔兹堡的生活可以用“无趣透了”来形容。

1775 年入秋，莫扎特把偷偷创作的一首经文歌寄给马蒂尼老师，请他指教。

最敬爱的老师:

许久不见,一切都好吗?

我惶恐地寄上一首经文歌,恳请您过目之后,直接、不必有任何保留地提出您的看法。

我必须承认,我生活在一个音乐不受欢迎的地区,真是不知道该怎么办才好。此地的戏剧更糟,没有一个好的歌唱家,而且就算有好的作品也没有演出的机会。

最近,我主要创作宗教室内乐,也曾经私下请教海顿及阿德加瑟尔,两位擅长对位法的前辈。而且,您知道的,我的父亲是教堂唱诗班的指挥,所以我也有机会为教堂写作品。

以上,恳求您的指导。祝您

主内平安!

您诚挚、谦恭的学生

沃尔夫冈·阿玛迪斯·莫扎特敬上

1775年9月4日

没多久,马蒂尼老师的回信来了。莫扎特迫不及待地打开来看,心里立刻凉了半截。

莫扎特,你的经文歌我很喜欢,看到现代音乐的全部特点。但是,我认为,你应该好好地、多多地练习。我要提醒你,音乐是艺术的本质,从事音乐的人所需要的就是不断地研究、刻苦地练习,直到生命最后的一刻!

老师的信中充满批评与指责，要他恪守本位。

老莫扎特看出沃尔夫冈的苦闷，暗中策划新的巡回音乐会，希望接触更多的王公贵族，因而可以找到一个比在萨尔兹堡更好的工作。他向新主教请假，新主教没有立刻答复。等了一段时日，出发的日子就要到了，新主教仍然不作答，爸爸不得不硬起头皮，提出第二次请求。新主教答复了，可是却告诉他们，因为约瑟夫二世大公即将来访，唱诗班的成员必须全部到场。老莫扎特是指挥，当然不能缺席。终于，约瑟夫二世来了，又走了。爸爸大起胆子又提出请假的事。这一次，新主教倒是很快地就回答了：沃尔夫冈可以离开，但是老莫扎特必须留下做他份内该做的事情。

没有爸爸作陪，莫扎特哪儿也去不成，音乐巡回之旅只有作罢。

接下来的几个月，新主教对莫扎特一家更严苛了，只有工作的要求。尤其对莫扎特，把他当一般人看待，而不是一位有天分的音乐家。这一切让莫扎特难以忍受，他三番两次向爸爸反映，主张要向新主教摊牌。但是爸爸认为，自己已经老了，想到别的地方去，恐怕也找不到像这样的稳定工作。爸爸只有劝莫扎特忍耐，等待好时机……

妈妈去世

1777 年，已经满二十岁、年轻气盛的莫扎特，实在无法忍受气焰嚣张的新主教，处处和他起冲突。新主教认为莫扎特没有礼貌，当着大家的面把莫扎特臭骂一顿，完全不顾他的面子。莫扎特则气得摔上门，扬长而去。这个消息比莫扎特还快回到家。莫扎特一到家，看到

爸爸妈妈的脸色都不好,心想,爸爸一定又要劝他:“寄人篱下,只有多忍耐!就算要翻脸,也要等找到另一份工作了,才能当着大家的面顶撞新主教。”他不想再听这些废话了,所以抢在爸爸开口之前说:“我已经提出辞呈了!”然后,躲进自己的房间。让爸妈站在门外悲伤地摇摇头。

为了这件事,老莫扎特写了一封信给新主教,却署上沃尔夫冈的名字。

尊贵的阁下,神圣罗马帝国最高贵的主教,和蔼可亲的君主,我的大人:

请允许我在不打扰您的情况下,描述我家悲惨的处境,也原谅我曾有的冒犯之处。

今年的3月,我的父亲在给大人的请愿书上,曾说明请假的理由,但都没得到大人您的回复,所以我的父亲才会在六月又再一次提出请求,恳请准许我们暂时离开职位,以摆脱困境。但是为了国王阁下的光临,此一请求又被搁置。直到最近的决定是,让我独自离去。

但是,亲爱的君主,我的大人,天下的父母清楚自己孩子的天赋,孩子接受上帝赐与的天赋越多,就越该利用这些天赋去改善家庭的生活,并回报国家,为自己谋求好前途。

《福音书》也教导我们,应该充分发挥自己的天分。

所以,请阁下允许我的请假。因为我必须利用秋天的时间好好工作,否则寒冷的冬天来临后,一切都难以进行。请阁下不要从坏的角度来思考这件事情,因为我是您谦卑的仆人。

我深深感谢阁下厚待我，我期盼我长大后，能继续为阁下效劳。最后，我再一次请求恩准我的假期。

您最谦卑、最顺从的仆人

沃尔夫冈·阿玛迪斯·莫扎特敬上

1777年8月1日

8月28日，新主教回复了。“根据《福音书》的规定，准予莫扎特去别处谋生。”

有了这一张通知，莫扎特立刻开始整理行装，9月23日在妈妈的陪伴下，告别萨尔兹堡。爸爸因为已经五十八岁，为了稳定的工作，只有和姐姐娜奈留在萨尔兹堡。

24日，莫扎特和妈妈抵达阔别三年的慕尼黑。几天后，就收到爸爸寄来的信。信中泪迹斑斑，充满思念：

分手时，我努力控制自己，才没在你们的面前流下眼泪。可是娜奈哭个不停，把手帕都擦湿了。为了不加深分离的痛苦，我只有抑制自己的伤痛，尽力地安慰她。……赞美主，我们终于熬过悲伤的一天。但是现在，我提笔写信，仍忍不住悲从中来，我要说，我这一生还没经历过如此悲伤的日子……

莫扎特不能感受爸爸离别的伤痛，他犹如放出鸟笼的小鸟，才正为可以摆脱新主教的控制，感到从未有的轻松和愉快呢！

爸爸知道他的毛病，特别在信中提醒他：

你在写信给我们时，千万要注意你的用词用语，不要用恶毒的语言攻击新主教。我知道你不吐不快，但是请你为我着想，我还留在萨尔兹堡，我还要看他的脸色。而且，这些信若是不小心落在别人手里，你可知道后果会如何？

爸爸的提醒不是没有原因。慕尼黑距离萨尔兹堡不远，消息流通得很快。当莫扎特通过朋友认识马克西米利安三世，爸爸担心的事果真出现了。君王不会冒险袒护一个顶撞主人的音乐家，因而去得罪他的主人——萨尔兹堡的大主教。虽然莫扎特努力说明自己的情况，但是，马克西米利安三世已经让先入为主的观念影响了他的判断。所以，他不希望莫扎特留在慕尼黑，要另一位公爵拐弯抹角地劝莫扎特离开。

不知天高地厚的莫扎特，生活上有妈妈在旁边帮忙照顾，不能体会没有钱是什么滋味。没有找到固定的职位，也没有演奏会的收入，却在慕尼黑混了一个多月。爸爸只好发一封措词严厉的信，命令他离开慕尼黑，前往曼罕。毕竟，曼罕有首屈一指的乐队，可能有好机会。

莫扎特听话地离开幕尼黑，途中经过爸爸的故乡奥格斯堡时，却自作主张地停下来，对妈妈的催促充耳不闻。原因是，他在此地遇见漂亮热情的堂妹。莫扎特正进入青年期，对爱情充满渴望，而漂亮、善解人意的堂妹曾在慕尼黑待过一段时间，算是见过世面，两人有共同的话题，莫扎特的行程因此耽搁了下来。

这一天，他受邀到当地的贵族俱乐部演奏。为了慎重起见，他戴上克莱芒十四世教皇颁给他的金十字骑士勋章。但是万万没想到，市长的儿子当着大家的面，狠狠地取笑了他，说他名不副实，使他的心情大受影响，演出的状况因而不如理想。第二天，他立刻和妈妈离开奥格斯堡。1763 年，他和爸爸第一次到奥格斯堡，印象就不好，这一次更糟糕。他甚至发誓，再也不要佩戴那枚骑士勋章。那是他第一次也是最后一次佩戴它。

1777 年 10 月 30 日，莫扎特母子来到曼罕。他看到许多音乐人才携带自己的作品到这儿来，期待被肯定。莫扎特尽可能参加每一场音乐会，发出自己的名片，因而认识许多的作曲家、笛子演奏家、双簧管吹奏者、小提琴演奏家及歌唱家。这些人有一部分成为莫扎特可贵、真诚的朋友，给了他宝贵的建议；一部分却利用他单纯、率性的特质，引诱他做一些不道德的事情。

俗话说："好事不出门，坏事传千里。"莫扎特在外面所做不恰当的行为，很快就传回萨尔兹堡。爸爸听到了传闻，忧心如焚，在写给他的信中一再提醒他要注意言行，并苦口婆心地劝导他。只是，莫扎特好像不把这件事放在心上，我行我素，让爸爸不知道该怎么办才好。

幸好，事情有了转机。11 月，莫扎特和曼罕的统治者——选侯卡尔·泰奥多见面，两人相谈甚欢。选侯喜欢这个才气洋溢的年轻小伙子，态度很友善。莫扎特也认为选侯平易近人，而且是个开明的君主，热爱艺术、文学和科学，宏伟的德国国家剧院就是他提议建造的。也因为他的努力倡导，曼罕的人民个个都具有深厚的音乐素养。为了让选侯留下好印象，莫扎特开始管束自己的言行，并且期待选侯向他预约一部歌剧。

12 月初，选侯的回复来了，答案是否定的。莫扎特当然很失望，

只是失望于没有演出的机会,对生活的窘困仍然一无所知。

莫扎特从小就被父母细心呵护,生活中只有音乐,不需要为每天的面包烦恼,即使今天的晚餐没着落,也轮不到他来担心,因此他从来不知道没有钱是什么滋味。

1778 年 1 月,机会来了,王侯邀请莫扎特去演奏。会后,莫扎特立刻写信给爸爸。

亲爱的爸爸:

我要跟您报告一个好消息!

我到此地奥朗吉公主的宫廷去演奏,她赏了我八个金路易。八个哦!我可以靠演奏赚钱了!

公主很喜欢唱歌,拥有一支可爱、热情的小乐队,每天都会举办音乐会。因此,我为她复写了四首乐曲。复写乐曲并没有花掉我太多的时间,因为韦伯先生帮了我的忙。而且,韦伯先生的女儿歌唱得好极了!

所以,您不必再为我们担心了,我们在这里一切安好!祝您

喜乐平安!

敬爱您的　沃尔夫冈

1778 年 1 月 17 日

信中透出莫扎特单纯的快乐,但是爸爸却嗅出其中的危机。果真,不久后,他就听到莫扎特恋爱的消息,对象正是韦伯先生那个爱唱歌的女儿。

韦伯先生是个抄谱员兼宫廷剧院的合唱团员，家庭贫困。莫扎特虽然家境也不富裕，却有爸妈一手帮他打理，从没让他担心过家里的经济，所以他一向不愁吃穿；加上他从小在王公贵族间进出，眼里看到的全是光鲜亮丽、富足浪费的景象。因此当他看到韦伯先生的家境，同情心油然而生。而韦伯先生的女儿爱洛希雅，年方十八，长得楚楚动人，又有一副好歌喉。渴望被爱的莫扎特不自觉地就掉进了情网，特别为爱洛希雅写了一部歌剧《特萨利亚的人民》，来表明自己的爱意。

这个消息让老莫扎特伤心失望，想不通：二十二岁的沃尔夫冈怎么会爱上十八岁的女孩？他那么认真地栽培沃尔夫冈，处心积虑地安排他的学习与演出，就是期盼能提高他的品位，有朝一日可以拥有崇高的社会地位，得到民众的尊敬。可是这一切，因为爱洛希雅的出现即将破灭。他的伤心转成愤怒与猜疑：莫非……莫非韦伯一家人想利用莫扎特的天分与名声，好提高自己的身份地位？

一有这个不祥的念头，爸爸立刻又提笔写信，向莫扎特诉苦：说自己年老体衰，加上新主教不喜欢他，只有靠娜奈接更多的音乐课来维持家计。而且为了这一次莫扎特的旅行，爸爸还伸手向别人借钱。本来爸爸还希望，以过去沃尔夫冈的好名声，应该接到更多的演奏邀约或找到好工作，增加家里的收入，起码可以应付在外的开销，不必由家里接济。现在，显然这一切都要落空了。诉完苦，爸爸的口气转为威胁：若是沃尔夫冈不能做好份内的事情，就没有经济后援了。

莫扎特总算清楚事情的严重性了，但他舍不得爱情，只有借离开曼罕来转移爸爸的注意力。他宣布要前往巴黎。就在启程前，他作了一些乐曲当作赠礼送给好朋友，其中一首特别送给爱洛希雅。

3月23日,莫扎特和妈妈来到巴黎。莫扎特沉浸在过去美好的回忆中,妈妈却愁眉不展,因为她不会说法语,又很想念萨尔兹堡的丈夫和女儿。这一切,年轻的莫扎特并不能体会。繁华热闹的巴黎,让莫扎特以为处处有机会,而他也在路途中计划着,若是没有演奏或被委托作曲、写歌剧的机会,他可以像姐姐娜奈一样:教音乐。

第一次到巴黎时认识的格里姆男爵帮了大忙,介绍几户达官贵人的孩子向莫扎特学琴,收入不错,他和妈妈的生活很快有了改善。但是,毕竟大部分人的音乐才能很平庸,莫扎特很快就对这种单调的工作厌烦了。他写信向姐姐抱怨:

> 这个工作并不适合我。如果我心情好,我愿意教课,尤其是学生很有天分或学习意愿强烈时,我可倾囊相授。可是,我要说,大部分的学生都是平庸之才,又是因为父母亲强迫他来上课,那真是浪费时间!
>
> 也许你要劝我,为了赚钱嘛,只有忍耐了。可是,我该埋没上帝赐给我的音乐天赋吗?

他的抱怨也不是毫无理由,曾经有一位贵妇人付钱请他去教课,但是从头至尾都不尊重他,还让他在冰冷的房间等了很久,才要他在一架老旧的钢琴上演奏,而听众与学生却在房间四处走动、聊天,或自顾自地作画。

除了偶尔有不愉快的教学经验外,莫扎特在巴黎的日子也不如预期中的顺利,反而充满了紧张、屈辱与不安。从前的神童,现在二十二岁了,长成一个身材不高的大鼻子青年,虽然浑身上下充满音乐气息，巴黎人就是不再喜欢他。巴黎人喜欢流行的事物，莫扎特努力讨好他们，创作了多部交响曲和奏鸣曲，都不受欢迎。这些乐曲有些因而没有复写本或留存下来。

3月才来到巴黎，6月妈妈的健康就出现状况，而且病情急遽恶化，不断发高烧，在7月3日陷入昏迷，几个小时后就离开人世，无法回到萨尔兹堡，再看一眼亲爱的丈夫与女儿。

因为天气炎热的关系，不得不迅速举行葬礼。因为没什么亲友，莫扎特选择在圣英诺森教堂举行简单的仪式，并且就近下葬了。当天晚上，莫扎特在他的笔记本里悲伤地写下："我最亲爱的妈妈离开我了，我坚强地忍受这一切，也祈祷上帝眷顾我。当她病重的时候，我只向上帝请求两件事：一是，保佑妈妈安详地度过生命的最后时段；二是，赐给我力量和勇气，走过这一切。"

这天晚上，莫扎特感到无比的痛苦与孤独。妈妈过世了，爸爸和姐姐远在萨尔兹堡，而他还没找到适合的工作。他蜷缩在床上，泪水湿透了枕头。

妈妈死亡的噩耗传回萨尔兹堡，伤心欲绝的爸爸写信给一向照顾他们的格里姆男爵。男爵了解他的难处，回信劝他让莫扎特留在巴黎碰运气。

我知道沃尔夫冈容易上当受骗，他也缺乏争名夺利的心机和手段，他太厚道又单纯。如果他的才能少一半，应酬本领多一些，我想我们两个都不必担心了。

他在这里只有两条路可以走，一是教琴。这个需要四处奔波、费尽口舌、指正错误、示范弹奏。他必须要有良好的体力。然而我

知道，他并不喜欢这份工作。

在他看来，最好能走第二条路：创作。这是他一定能胜任，并且最喜欢的。但是在这个地方，大部分的人其实不懂音乐，却相信名声。作品的优劣只有少数人可以分辨。何况这些人还分成两派，各自坚持己见的议论因而变得很可笑。而沃尔夫冈想在这两派中间取得成功并不容易。

但是，至少他有才气，留在巴黎碰运气，比回到萨尔兹堡更有发挥的机会。所以，我同意当他的监护人，注意他在巴黎的动静，你大可放心。……

但是莫扎特没有珍惜这个关系，因为经济困难，他数度向男爵借钱不还，又不听男爵的劝告，男爵只有放弃他，要他离开巴黎。

老莫扎特不得已，只好低声下气去求新主教，因为唱诗班指挥和管风琴师陆续地去世，职位空缺。爸爸希望莫扎特可以补缺。在萨尔兹堡的薪水虽然不高，但很稳定，好过在外流浪。

不情愿的新主教考虑许久，终于答应：莫扎特可以回来，改天若有别的预约，也可以前往，并且会为他保留职位。但有附带条件：若是这一次莫扎特拒绝回来，以后不会再提供任何机会。而且，以后老莫扎特过世，债务由他偿还。

心不甘情不愿的莫扎特终于在 9 月 26 日启程回家，故意绕道去慕尼黑，看他心爱的爱洛希雅。只是，这一面让莫扎特非常惊讶：当初他认识爱洛希雅时，她还是个默默无闻的女歌手，现在她已经成为一位真正的女高音，有一份正式的工作。他们的谈话内容由爱洛希雅主导，全在她的工作上打绕。这可深深地伤了莫扎特的心，也粉碎了他的单相思。

1779 年 1 月，憔悴疲惫的莫扎特回到萨尔兹堡，没有喜悦的拥抱，只有面容悲伤的爸爸迎接他，因为妈妈葬在遥远的法国土地上，他们永远见不到了。

第三幕 快乐时光

与大主教决裂

1779年1月，莫扎特回到乏味、沉闷的萨尔兹堡，又掉入只为新主教谱写乐曲的樊笼里。新主教为了笼络他，在他二十三岁生日之前，正式任命他为管风琴演奏家，薪水是450弗罗林。这算是施给莫扎特很大的恩惠，因为原来老管风琴师也不过拿这么多。但是莫扎特并不高兴，他无法忘怀巴黎、慕尼黑、曼罕那些自由自在的日子，况且他还被指定在3月前完成《加冕弥撒曲》，他就算百般不愿意也得完成。

当然，日子也不全是无趣的，虽然妈妈过世了，但是现在爸爸每天都可以看到沃尔夫冈和娜奈，心中的伤痛减轻不少。莫扎特也因为有家庭照顾，日子不再过得颠三倒四。只是郁闷的心情实在创作不出作品，莫扎特的创作量明显减少了。

过了一年，莫扎特终于有机会离开萨尔兹堡，因为过去很欣赏莫扎特的慕尼黑选侯卡尔·泰奥多，在1780年的夏天邀请莫扎特为狂欢节写一部庄歌剧。剧本已经选定，是萨尔兹堡的宫廷神父所写，剧名为《伊多梅诺》，预定1781年的1月在慕尼黑首演。

既然剧本作者是萨尔兹堡的神父，谱曲也找莫扎特，新主教应该要觉得与有荣焉，可是给假又要付薪水，新主教心里直犯嘀咕。但是为了不让慕尼黑选侯认为他瞧不起人，只有不情愿地给莫扎特六个星期的假，让他专心谱曲。

莫扎特很高兴来到慕尼黑。以前的恋人爱洛希雅已经随着父亲搬到维也纳，让他有些失落。不过许多好朋友仍在慕尼黑，大家时常见面。友好的气氛、自由的空气，让他振奋起来，创作的灵感如泉水般地涌出来。

因为奥地利的玛丽亚女皇去世，新主教赶去维也纳致哀。新主教前脚才离开萨尔兹堡，爸爸和娜奈后脚也跟着离开了。他们得赶在1月29日之前到慕尼黑，观赏《伊多梅诺》的首演。老莫扎特看到现场的观众掌声如雷，高兴得老泪纵横，以为沃尔夫冈终于熬出头了，未来前途似锦。只是首演结束，观众就没有声音了，因为《伊多梅诺》的音乐打破庄歌剧的传统格式，观众看不懂，因而无法欣赏。《伊多梅诺》从此没有再上演过。

虽然如此，莫扎特还是很高兴，他证明自己可以写出具有独特风格的歌剧，观众无法欣赏是因为他们没有他的程度。

首演结束后，照理说，莫扎特应该乖乖地回到萨尔兹堡，要不然也应该迅速地到维也纳向新主教报到。但是，自由的滋味实在太甜美了，莫扎特舍不得放掉。加上选侯很欣赏他，给他相当的尊重，并且心情高兴就打赏，赏的全是现金。这一切，比新主教所能给的好上千倍万倍，所以莫扎特故意逾假不归。

3月12日,忍无可忍的新主教终于发出一封命令信,要莫扎特前往维也纳,跟上新主教的队伍。莫扎特嗅出火药味,不敢不从,立刻出发,根据新主教的指示,下榻在主教官邸。

新主教一得知莫扎特已经到来,立刻召唤他到跟前。为了展示自己的权威,主教故意在大家的面前辱骂莫扎特,臭骂他是无耻之徒,放肆的浑蛋,狠狠地给他一顿下马威。

从小被捧在手心的莫扎特怎能忍受这样的耻辱,他气得全身发抖,但还理智地控制自己的怒气,默默地告退。

表面上,莫扎特好像服从新主教的权威,不再表达自己的意见。但是新主教并不满意,他认为莫扎特不是打从心里顺从,还得常常杀杀他的锐气。

5月初,主教突然又对莫扎特下了一道命令,要他即刻搬离主教官邸。时间非常仓卒,幸好韦伯夫人(即爱洛希雅的妈妈,当时韦伯先生已经过世。)收留他,拨了一个房间租给他,解决了他的窘境。新主教的这个举动,让莫扎特和他之间的关系越来越恶劣。

5月9日,火线终于被点燃了。为搬家忙得焦头烂额的莫扎特再接到一份诏令,命令他跟着下一班邮车,带一个紧急包裹回萨尔兹堡。莫扎特根本无法抽身,只有撒个谎,声称邮车已经没有空位,改成第二天一早再出发。

新主教无法接受他的说辞,怒气立刻爆发,除了狠狠地臭骂他一顿外,还威胁莫扎特,要是他不立刻动身前往萨尔兹堡,马上停掉他的薪水。气昏头的莫扎特毫不示弱地回答:“明天我就提出辞呈!”

回到住处的莫扎特仍然气呼呼的,站也不是,坐也不是,回想这一切,认为新主教简直不可理喻。可是人家毕竟是萨尔兹堡的主教,

是他和爸爸的主人。如今,他说了这样的气话,有必要让爸爸知道。所以他深吸了一口气,提笔写下:

我最亲爱的父亲:

我不得不说,到现在我还气得浑身发抖。但是我相信,您一定会站在我这一边。

我已经忍耐许久,也到了极限了。今天,我决定做个了断,而我已经开始有幸福的感觉了。

那个讨人厌的家伙(您一定知道我指的是谁,而我也不知道该找什么名词来称呼他),已经两次当着大家的面辱骂我,我不想重述他的话,以免玷污了您的耳朵。但是那些话实在太伤人了,而且不留情面。本来为了您,我一直忍气吞声,然而他今天实在太过分了。何况,送邮件根本不是我份内的事,我是音乐家,不是送邮件的人!所以我决定明天一早就提出辞呈。

告诉我,敬爱的父亲,我的决定做得太早还是太迟?

请不要为我担心,我相信以我的能力,一定不会饿死。但您若是担心,尽管在公开场合骂我,好让别人对您无可指责。

不要再写信给我,也不要寄任何的包裹给我,我不想要知道有关萨尔兹堡的任何消息。最后,让我吻您的手一千次,并且全心拥抱姐姐。

您顺从的
沃尔夫冈·阿玛迪斯·莫扎特敬上
1781年5月9日

信中混杂了高兴与愤怒。

第二天,莫扎特真的向他的上级——最高厨房长阿尔寇伯爵,呈了辞职函,同时退回他已领的回萨尔兹堡的旅费。伯爵把这两样东西都退回,劝莫扎特不要冲动,多做考虑,至少也应该为留在萨尔兹堡的爸爸想一想。

伯爵的考虑当然是善意的,何况,莫扎特曾经到处找不到工作,要不是好心的新主教愿意提供机会,这个不知天高地厚的小伙子恐怕早就饿死在街头了。他同意新主教挫挫这个年轻人的锐气。只是他们都没想到,这一回,莫扎特是吃了秤砣铁了心,毫不动摇。不过,为了不要撕破脸,莫扎特答应大家再考虑几天。

而在萨尔兹堡的老莫扎特当然收到信了,百感交集,很难作出决定。支持儿子,可能得罪新主教;支持新主教,沃尔夫冈势必得回萨尔兹堡,如此一来,他过去所有的训练与培养将付诸东流。几经考虑,老莫扎特做了一个最困难的决定,写了一封信给伯爵,说明绝不同意儿子的决定,并且要沃尔夫冈立刻返回萨尔兹堡。

莫扎特完全无法相信,也无法理解爸爸为什么要强迫他做违反意愿的事。接着他去见伯爵时,伯爵又苦口婆心地劝他:

> 请相信我,你太年轻,无法看清事实的真相。
>
> 在维也纳,一个人的名声极为短暂。一开始可能大家对你交相称赞,你的收入也不错,但那会持续多久呢?几个月后,人们又想要新东西了……

但是，这些话，莫扎特都听不进去了，他执意要辞职。事情前前后后拖了一个月，伯爵终于失去耐心了，把莫扎特推出门外，外加在屁股上赏他一脚！

和心爱的人结婚

莫扎特自由了！

以前在萨尔兹堡、在新主教面前等候差遣的日子，就像是一场梦魇，让莫扎特一回想起来就忍不住打哆嗦，印象很深的一次，是因为没有天天向最高厨房长报到而被告诫的耻辱。当天他辩称，被委任管风琴师的职务时，并未被告知有此项义务。其实，这些义务莫扎特早就知道，他从小就看父亲这么做，除了音乐巡回的那段时间，父亲总是尽好宫廷乐师的职责。只是，他在外面有那么好的名声，有很高的才气，应该可以享有某些特权吧！所以，他只有在主教召唤时才会现身。这可把新主教惹怒了，认为他未尽责任、玩忽职守，免不了又在大家的面前数落一顿。而这一切都是加深彼此不和的原因。

不过，这一切都成为过去式了，莫扎特每天都高兴地起床，哼着歌开始一天的生活。而且，幸运之神好像也开始眷顾他了，他收到一个学生，生活暂时没有问题。接着，为了年底俄国保尔大公的来访，国王约瑟夫二世委托他谱写歌剧《后宫诱逃》。

莫扎特忍不住高兴地大叫，他终于有机会写一部德国歌剧了！

没多久，在萨尔兹堡的父亲听到更叫人惊讶的消息：正在维也纳的沃尔夫冈打算和康兹坦丝订婚。

康兹坦丝是谁？

原来是韦伯夫人的二女儿,爱洛希雅的妹妹。

老莫扎特吃惊加上生气,脸色发白,喃喃自语:还不够吗?先是爱洛希雅,再来个康兹坦丝,韦伯一家到底安的是什么心?接下来还会发生什么事?他立刻发了一封信去质问沃尔夫冈。

虽然自从大主教的事件后,莫扎特和父亲相处不好,但他还是很快地回信了。

亲爱的父亲:

您来信问我,到底在想什么?

我诚实地向您说明,我想多赚一点钱,而且我想……结婚!

我为什么要结婚?因为我和其他的年轻人不一样:第一,我的信仰虔诚。第二,我感情丰富,并且重视荣誉,没办法把女孩子带坏。第三,我害怕染上病,也厌恶这种事。为了健康,我从不和妓女鬼混。我以我的名誉发誓,我从来不做这种事。

而且,我需要稳定的家庭生活,太多起伏、变化的生活对我并不适合。您知道的,我从小就不会打理自己的衣物,所以我需要一个妻子。此外,我不会理财,有钱就会乱花。而且不在乎生活细节,房间里老是乱七八糟。我想,如果有个老婆帮我的忙,我可以更专心创作,也可以帮我管理我所赚的钱,省下不必要的支出。

我梦想,有了妻子后,我的日子可以过得规律些。我总认为,单身汉只能说过了生活的一半而已。

至于我的对象,韦伯家的康兹坦丝,善良、能干,为她的家庭牺牲很多。她有一双又黑又亮的大眼睛,身材也很好。虽然脑筋不是很灵光,但我的直觉告诉我,她将会是一位好妻子、好妈妈。

以上，是我的说明，希望您为我祝福。祝您

身体健康！

挚爱您的儿子　沃尔夫冈

1781年12月15日

这封信和过去他写给爸爸的信很不一样，明白、简洁、平铺直叙，少了许多感情，好像只想让父亲了解，这个事实已经无法改变。

老莫扎特感觉到信中的冷漠，心里很感伤，然而沃尔夫冈远在维也纳，快要过二十六岁的生日了，虽然不同意，也无可奈何，只有静观其变。他期待沃尔夫冈会遇到另一个更好的女孩子，改变原来的想法。

定居在维也纳的莫扎特，手上的歌剧《后宫诱逃》进度很缓慢，加上演出的日期延后，所以虽然过了1782年的新年，莫扎特仍是有一搭没一搭地磨蹭着。同时，他希望在宫廷谋个乐师的职位，却没有机会。幸好，维也纳是音乐之都，到处有音乐活动。有个叫马丁的音乐家组织一个“爱乐者音乐会”的协会，得到国王的许可，每年的夏天可以在维也纳几个漂亮的公园表演。有这么好的演出机会，莫扎特当然不会错过。第一场正式公开的演出，皇室贵族很多人都来参加了，让现场增辉不少。

日子一天天地过去，1782年的夏天来临了。7月16日《后宫诱逃》在维也纳布尔格剧院首演，剧中的乐曲充满青春气息，表达了忍让与宽容的美德，并且歌颂爱情与自由的伟大，加上当时流行的“东方式的趣味”，演出之后大受欢迎，接下来连演了十六场。

这样的成功，莫扎特希望能跟父亲与姐姐分享，立刻写信让他

们知道，其中的一段这样描写：

> 我写的歌剧《后宫诱逃》，昨天演了第三场，仍然得到许多热烈的掌声。尽管剧场里因为夏天的缘故，非常闷热，但还是座无虚席。我要说，大家都迷上这部歌剧了。没看过的人，恐怕就要被取笑啰……

这部歌剧，抒发了莫扎特澎湃的热情，与浪漫喜悦的心情。剧中的两个男子同时爱上女主角，而女主角的名字正好叫做“康兹坦丝”！

歌剧很成功，受到维也纳观众的欢迎。但是委托莫扎特创作的奥皇约瑟夫二世却不喜欢。他把莫扎特叫到御座前，先是称赞演出成功，但却意味深长地加了一句：“莫扎特先生，音符太多了！”

这一句话，把满心高兴的莫扎特一下子打入冷宫。一向率直的莫扎特很想反驳，但是面对的是君王，可不能乱说话，只有冷冷地回答：“皇上，音符只使用了该有的分量！”

这件事后来流传出来，成为有名的趣事。不过大家猜想，皇室不是真的在乎音符使用多少，而是《后宫诱逃》的剧情扭曲了王公贵族的形象，奥皇很不高兴的缘故。

奥皇高不高兴，其实不能影响莫扎特的心情，毕竟大多数的民众是欢迎的。挟着成功的滋味，1782 年 8 月 4 日，莫扎特和心爱的康兹坦丝走入结婚礼堂。他们选在圣埃蒂安教堂举行婚礼。这座教堂历史悠久，有着高耸的尖顶和一百五十米高的哥特式塔楼，如果老莫扎特和姐姐要来参加，很容易就可以找到了。

只是，父亲生病了，不便出远门，姐姐为了照顾他，当然也无法前来祝贺。而且他们的祝福贺礼在结婚典礼的次日才送到。莫扎特知道，爸爸不赞同他和康兹坦丝结婚。但是又能怎么样呢？莫扎特已经二十六岁了，父亲远在萨尔兹堡已经不能替他做决定了。何况，莫扎特沉浸在结婚的喜悦中，他觉得自由与爱情都拥有了，天天都很快乐！

甜美且快乐的时光

结婚后的康兹坦丝很快就怀孕了。虽然莫扎特一再试着去找正式的职位，但就是没机会，所以莫扎特不得不再度以教课谋生。幸好教课的收入足以应付生活所需，加上康兹坦丝管理财务，会阻止莫扎特做蠢事，避免因为冲动而无谓地浪费。有康兹坦丝这样的好妻子，莫扎特真正过起无忧无虑的生活，两人满心喜悦地等待小宝宝的诞生。

这段时期的莫扎特，创作的灵感源源不断地涌出。1782年底，他连续作了三部古钢琴协奏曲（K413—415）。他很满意这三部作品，写信给朋友，信中得意地表示：

> 这些作品，在最困难和最简单之间，呈现中庸的部分。我要说，它们非常的“好”！音调自然、乐音悦耳，而且不会无聊。最近，我悟出一个道理，想要成功，就必须写一些容易懂的东西，连猪听了都会唱，一定会受欢迎。如果我想写难一点的曲目，我保证，即使有脑子的人也听不懂！

接着，他献给海顿爸爸一首弦乐四重奏(K387)。那是他的第一首弦乐四重奏，正好表现他那段时期的内心情感，也谢谢海顿爸爸在最艰困的时期支持他。

1783年春天，二十七岁的莫扎特和十九岁的康兹坦丝收到一纸通知，需要回萨尔兹堡一趟。这可把莫扎特的新仇旧恨全勾起来了。当年和大主教大吵一架，递出辞职信后，莫扎特在写给爸爸的信中信誓旦旦地说，再也不要知道萨尔兹堡的任何事，意思是要切断和萨尔兹堡的关系。可是事实上，这只是单方面的想法，莫扎特提出辞职，最高厨房长踢他一脚，都不能证明莫扎特的辞职得到批准。所以莫扎特只要回到萨尔兹堡，仍是新主教的仆人。这是莫扎特最不愿意面对的。

莫扎特尽量拖延，主张的理由是：康兹坦丝即将生产，大腹便便，不便远行，要等她生产完才会出门。

6月17日晚上，康兹坦丝开始阵痛，焦急的莫扎特等在一旁，直到生下一个男孩，他一颗悬在喉咙口的心才放了下来。这个小男孩漂亮结实，圆滚滚的，像颗球。莫扎特取名为：赫蒙。这天晚上，莫扎特很高兴，完成第二首弦乐四重奏，再度献给亲爱的海顿爸爸。

生下赫蒙，没有理由可以拖延了，夫妻把孩子留在维也纳，前往萨尔兹堡。停留在萨尔兹堡的三个月，宫廷里的人并不明说，可是诡异的气氛围绕在大家的身旁，让这对小夫妻过得不很愉快。

倒是老莫扎特很高兴。当初他并不赞成这桩婚事，可是等他见到康兹坦丝的面，他改变了态度，同意沃尔夫冈在信中所形容的，媳妇是一个善良、勤奋的妻子，而且她把沃尔夫冈照顾得很好，又为莫

扎特家生下一个男婴。老莫扎特看到沃尔夫冈望着康兹坦丝时，眼中所流露的爱意，打从心里为他们高兴。因而，许久不曾出现的笑声，从莫扎特的家里洪亮地传出来。

10月底，莫扎特夫妻离开萨尔兹堡，返回维也纳。途中他们在林茨接受图尔伯爵热情的款待，为了表示感谢，莫扎特只利用四天的时间，写成《第三十六号交响曲》，献给伯爵。

本来还想多盘桓几天的他们，突然接到从维也纳传来的噩耗：他们的新生儿赫蒙不幸夭折。康兹坦丝惊吓得昏倒了，莫扎特也悲痛万分，匆匆赶回维也纳。

不过，他们都很年轻，维也纳的音乐活动又很多，慢慢地就冲淡了他们的哀伤。

1784年初，康兹坦丝第二次怀孕，喜悦之情重新浮上他们的脸庞。莫扎特的姐姐娜奈嫁给男爵，也带来喜气。最重要的是，莫扎特随着年龄增长，人际关系比起以前圆融、成熟，交际圈扩大许多，结识许多同好，常常参加演奏。

老莫扎特偶尔会从萨尔兹堡来维也纳探望儿子、媳妇，看到沃尔夫冈四处演奏，又受人称扬，高兴得合不拢嘴。

只要到维也纳来，老莫扎特一定去拜访海顿——沃尔夫冈口中的海顿爸爸。两个爸爸相谈甚欢，尤其当海顿爸爸称赞沃尔夫冈是世界上最伟大的作曲家时，老莫扎特会激动得热泪盈眶。

秋天时，莫扎特的第二个儿子——卡尔出生。随着他日渐长大，莫扎特陆续完成《第二十、二十一、二十二号古钢琴协奏曲》、《第二十三、二十四号协奏曲》，并于1786年2月7日在维也纳皇宫剧院演出歌剧《剧院经理》，5月1日演出《费加罗的婚礼》。

回头检视这一切，虽然生活中难免有笑有泪，但丰富的作品量说明了莫扎特的努力。看着妻子和小儿，他不禁微笑起来，这是一段甜美且快乐的时光。

加入共济会

1784年12月14日，莫扎特加入共济会，属于维也纳支部学徒级。

共济会起源于中世纪，原来是石匠所组成的公会，经过几百年的演化，进入17世纪后，开始主张人道主义思想，标榜以人类幸福为宗旨，通过友爱和仁慈落实在生活及工作中。

1717年，伦敦成立共济会的分会，当地的成员努力推广，使得共济会迅速在欧洲及美洲传播开来。许多有识之士接受这种温馨、宽容的观念，加上著作的流传，间接地引发了法国大革命。但是，因为他们所宣扬的精神和君主专权相违背，为当时的皇室所打压，所以转为地下化，成为一个秘密结社的组织。在维也纳，虽然教皇明令禁止共济会活动。但是，玛丽亚女皇的夫君——弗朗索瓦一世却曾是共济会成员，并因为他，共济会一度被皇室接受，并可以公开活动，因而才有维也纳支部的成立。但玛丽亚女皇和儿子约瑟夫二世共同执政期间，虽然约瑟夫二世个人给予支持，但因为玛丽亚女皇不同意共济会的理念，共济会再度转为秘密结社。

共济会有严格的入会过程，共分三个等级：学徒、伙伴、师傅，每一个等级和职务都有不同的标志。这对莫扎特产生很大的影响，他后来创作的几部歌剧，或多或少都有共济会的影子。尤其是《魔笛》一剧，特别明显。

说起莫扎特和共济会的渊源,要从1767年,莫扎特十一岁和共济会的会员来往开始。

那一年,莫扎特一家本来要到维也纳参加公主的婚礼,没想到天花袭击维也纳,城里死伤人数过半。莫扎特一家虽然仓皇逃离,但是莫扎特还是被传染了。除了爸爸妈妈悉心的照顾外,为他们治疗的医生也尽责认真。等到莫扎特慢慢地好转,大家在闲聊中得知,医生是共济会的成员,也因而让莫扎特留下深刻的印象。为了感谢医生的辛苦与照顾,莫扎特写了一首歌《欢乐赞》,献给医生。

后来,莫扎特陆续得知,和他们一家很要好,委托他写《牧羊人与牧羊女》歌剧的麦斯梅尔医生,也是共济会成员。还有一些他们时常往来的朋友,都是共济会的成员。

1778年,莫扎特二十二岁时,因为和新主教吵了一架,由妈妈作陪,前往巴黎寻找工作职务。路经曼罕时,结识了霍恩伯格男爵。男爵是作家,崇拜莎士比亚,翻译过卢梭的作品。因为男爵的介绍,莫扎特与共济会开始密切地往来。该年的年底,莫扎特和男爵两人共同构想一部歌剧,由男爵根据伏尔泰的悲剧《塞米拉米斯》改写剧本,莫扎特谱曲。

1784年,霍恩伯格男爵成为维也纳分会的会长,莫扎特也认为入会的时机成熟了。他以学徒级入会,不到一个月就升了一级,成为伙伴。到了1785年4月22日,又升级为师傅。

1785年2月11日,可能是莫扎特的关系,海顿加入共济会。3月初,老莫扎特由萨尔兹堡到维也纳来探望儿子媳妇,也成为维也纳支部的会员。3月26日,莫扎特为会员聚会写了一首歌《共济会友之曲》,以表示他满心的欢喜。

接着，莫扎特借着歌剧《埃及国王塔莫斯》中的太阳祭司，宣扬共济会的象征图案；借歌剧《魔笛》来说明共济会的精神；并且在他谢世的前几天，还写出《歌颂友谊》及《挽起我的手》两部作品，来感谢共济会在他生命中给他的支持。

贝多芬上门求教

1787 年 4 月，莫扎特在家里招待音乐家朋友，大家正谈得兴高采烈，传来清脆的敲门声。

门房把一位十七岁的年轻人带进来。没有惊扰大家，门房悄悄地在莫扎特耳边说了几句话，传达了年轻人的来意。

莫扎特招招手，把年轻人带进琴房。

“你说，你叫什么名字？”莫扎特并没有请年轻人坐下，自己则站在古钢琴旁。

年轻人恭敬地回答：“路德维希·冯·贝多芬。”[1]

“服侍哪位君王？”莫扎特继续追问。

贝多芬还是很恭敬，“我是科隆大主教的管风琴手。”

“这么说，弹奏古钢琴应该也不是问题吧！”莫扎特理所当然地认为，一位管风琴手，当然不能只会弹奏管风琴，其他的乐器也要有相当的基础。“坐到琴凳上，弹一曲给我听听。”

---

1 贝多芬（1770—1827），被誉为乐圣。因为巴赫、格鲁克、海顿、莫扎特等前辈的努力，贝多芬通过演奏会和乐谱出版的收入，得以摆脱宫廷乐师的身份，成为自由的市民阶级艺术家。他有多首交响曲、协奏曲、钢琴奏鸣曲……享誉音乐界，但歌剧作品只有1805年完成的《费得里奥》。

随着他越来越有名气,以及各处演奏的关系,老是有些毛遂自荐的年轻人来敲莫扎特的家门。莫扎特不会拒绝他们,但也不愿在他们身上浪费时间。他会让他们自己先选弹熟悉的曲目,观察他们的弹奏技巧。接下来就指定曲目,来测试一些自以为很有才华的年轻音乐人。当然,他选用的乐曲有些难度,才能测出来人的程度。

贝多芬毫不畏惧地弹奏出第一首曲子。莫扎特面无表情地点点头,然后翻开琴架上的琴谱,要贝多芬再弹奏。

贝多芬看了两眼,两手飞快地在琴键上舞动,仿佛琴谱早就印在他脑中似的,非常地熟练。弹到激情的段落,他的表情随着乐音产生了不同的变化。

莫扎特听着贝多芬的演奏,眼睛瞪着他弹奏的手,露出惊讶的表情。愣了好几分钟后,他才突然惊醒过来,冲到大厅,对那些叽叽喳喳的客人大喊:

"你们听到了吗?"

客厅在刹那间安静无声,多双眼睛全望向莫扎特。

只见莫扎特假发都乱了,手指疯狂地指着琴房:"你们要注意这个年轻人!他以后一定会名扬天下!"

没错,贝多芬从小就展现出音乐才华,受到在宫廷中担任指挥的祖父宠爱。只可惜好景不常,他三岁时祖父就与世长辞了,没机会指导他。但是贝多芬八岁时在科隆举行演奏会,获得不少掌声。

这一次,他上门向莫扎特求教,希望莫扎特能教他作曲技巧。莫扎特看出他的才华,倾全力教导他。

只可惜,贝多芬在维也纳停留的时间不长。所以,两颗巨星短暂相会后,就各自为生活的琐事忙乱起来,没机会再互相切磋。1792年,

贝多芬二十二岁，在维也纳落脚定居。他想再去请教莫扎特也没有机会了，因为那时莫扎特已经过世。

贝多芬转而向海顿学习作曲。只是海顿非常忙碌，并没有多少时间可以教他，因此，努力上进的贝多芬在有关社会及音乐的事上全靠自己摸索。成名后的贝多芬，命运比海顿、莫扎特要好多了。他一方面受到贵族的保护，另一方面又享有创作上的自由。

贝多芬逐渐崭露头角，远大的前途被众人看好。但是“恶性耳疾”却在这个时候找上他。当他四十八岁时，已经完全听不到了，日常的会话只能用笔交谈。

贝多芬留给后人许多优秀的作品，其中的《月光奏鸣曲》、《命运交响曲》和《田园交响曲》，更是脍炙人口。因此也让他与海顿、莫扎特并称为维也纳古典乐派三大作曲家。

当年，莫扎特的确没有错看他！

终曲

艰困的生活

自从 1784 年开始，表面上，莫扎特和康兹坦丝的生活好像很愉快，但是不知为什么钱老是不够用！

虽然莫扎特写了《费加罗的婚礼》、《剧院经理》等多部歌剧及协奏曲，但就是入不敷出。1786 年 10 月 16 日，他们的第三个儿子约翰出生，家里多了一张小嘴巴，莫扎特得更努力赚钱才行。只是，没想到，约翰还没满月就夭折了。这让莫扎特不想留在维也纳这块伤心之地，希望能到别的地方去碰碰运气。

过了 1787 年的新年，好运气真的来了。布拉格的图尔伯爵邀请莫扎特前往，并且愿意把他的《费加罗的婚礼》搬上布拉格的舞台。

《费加罗的婚礼》在维也纳的演出并未引起注意，因为大胆的情节和富有创造性的音乐，维也纳的观众还不能接受。然而《费加罗的婚礼》却深受布拉格观众的喜爱，大家为莫扎特的到来，给予最热烈的欢迎。

莫扎特许久没看到这么热情的观众，非常感动，举行了一场音乐会，演奏他在1786年12月所作《第三十八号交响曲》，又名《布拉格交响曲》，以回报大家。音乐会当然又爆满，观众的喝彩声不断。

布拉格给了莫扎特热情的拥抱，希望他可以常驻于此。但是，莫扎特却思念起明亮、愉快的维也纳，他留下这份美好的回忆，还是返回维也纳。

5月28日，缠绵病榻许久的老莫扎特过世了。这是个沉重的打击，接到噩耗的那个晚上，莫扎特一个人静静地坐在窗边，想起以前和父亲相处的时光：睡前的亲吻、严苛的乐器练习、音乐巡回之旅、马车上的故事，以及一起对抗新主教……等等，想到这儿，仿佛父亲恳切的教诲仍在他耳边响起，他不禁泪流满面。他知道，姐姐成为男爵夫人，早已搬离故乡。从此以后，萨尔兹堡只会成为回忆的一部分、一个地图上的名字而已。

虽然父亲过世让莫扎特陷入哀伤，但是家里还有几张嘴巴要吃饭，他必须打起精神来工作。夏天，新歌剧《唐·乔凡尼》的进展还算顺利。因为过去几出歌剧在维也纳没受到欢迎，《唐·乔凡尼》将先在布拉格演出。果真，1787年10月29日在布拉格剧院首演的《唐·乔凡尼》，观众报以热烈的掌声，将莫扎特的悲伤驱散不少。

11月，莫扎特回到维也纳，国王任命他为皇室作曲家，接替去世不久的格鲁克。莫扎特对格鲁克的逝世感到难过，对他现在薪水的事更难过：职称一样，薪水却比格鲁克少一半。对莫扎特来说，想要改善家里的经济，短时间恐怕没办法了。

12月，康兹坦丝产下一名女婴，振奋了莫扎特的心情。他一直希望有个女儿，现在终于如愿了。只是，一次又一次的怀孕、生产，把康

兹坦丝的身体弄坏了，有时得去南部的巴登养病，家里的经济更吃紧了。

1788年后，状况更严重了。莫扎特不得不举债度日。他常常向好朋友，一位富商也是共济会的成员，普契博格借钱，好让这个家渡过难关。

这一天，他再度提笔写下这封信：

最近，我又陷入困境，我再次求助于您，希望这是最后一次。

您知道我的处境很艰困，不利我在宫廷活动，但是我又必须守密，不让我的同事知道，免得他们在我后面窃窃私语。在宫廷里，大家仅就一个人的外表来做评断，常常让我很火大。

这一次，再度向您伸手，是因为信任您对我犹如兄弟般的情谊，我衷心期望您的帮忙，也万分感激。

写到这里，我的泪水阻止我继续写下去。总之，我未来的幸福，全都掌握在您的手中，求您以高贵的心灵来帮助我。……

这样的信，读来令人鼻酸。

1788年5月7日，歌剧《唐·乔凡尼》移到维也纳上演。在布拉格受到热烈欢迎的歌剧，在维也纳竟没得到喝彩。莫扎特颓然坐在家中的琴房，想不通，难道是观众真的只喜欢流行的事物？

《唐·乔凡尼》想传达的意念是：情欲的终点是死亡！只是，维也纳观众不喜欢这种想法，无法理解。国王约瑟夫二世去看了最后一场。大家都等着他发表评论。

约瑟夫二世过去委托莫扎特为多部歌剧谱曲，他个人还满喜欢莫扎特的，一直支持其创作，但是莫扎特近来的作品的确让他搞不懂，但是他的评论代表他的品味，也会影响趋势，一不小心会变成人身攻击。所以他谨慎地发言："这部歌剧很妙，比《费加罗的婚礼》还精彩。只是……"他迟疑了一下，才继续说："只是这道菜不太适合维也纳人的口味！"

听到这样的评论，莫扎特只能回家对康兹坦丝发泄心中的不满。他拍桌子，大声取笑维也纳的观众："那就留一些时间，给他们好好地品味吧！"

这的确是莫扎特想不通的，因为就在不久后，一位叫辛克的乐评家，在《戏剧月刊》发表了一篇文章。

> 我们何其有幸能听到如此宏伟、强而有力又威严的音乐！这是我们爱乐者一生所企求的啊！
>
> 歌剧《唐·乔凡尼》中高贵且宏伟的音乐，唯有少数的音乐精英才能领略，它绝不是那种迎合大众口味的音乐！……

维也纳观众不欢迎他，莫扎特没办法增加收入，但他仍在困境中继续创作。只是，1789年，康兹坦丝又怀孕了。这是她第五次怀孕。上一次产下的可爱女婴也不幸夭折了。吃了这么多苦头，却只有卡尔活下来，是个安静健康的小男孩，莫扎特很喜欢他。这一次，他希望康兹坦丝能平安产下新生儿。

日渐膨大的腹部压迫脚部的神经，康兹坦丝脚痛得无法走路，不得不再度前往巴登养病。事业不顺利、心情低迷的莫扎特正需要妻子在身旁，为他加油打气，可是考虑到康兹坦丝的健康状况，并且

为了保护腹中的胎儿，莫扎特只有忍痛挥手和他们道别。想念太太的莫扎特每天都写信给康兹坦丝。

我最爱、最爱的小妻子：

得知你已经收到我寄去的钱，我很高兴。

我记不得是否在上一封信中告诉你，要你用这笔钱来还清积欠的医药费。如果我真的这么说，请你原谅我，我怎么算是个有理智的人呢？我要郑重声明，我是无心的，因为这里的事情太多、太杂乱了，所以才会胡言乱语。请你不要理会我的上一封信，把钱留下来当成日常开销，那些欠债等我到的时候，我会去处理。

你的回信中提及，你在那里不快乐，我在这里也不快乐，很想念你。但是，为了你的健康，为了我们尚未出生的小宝宝，请你多忍耐，很快我们就可以相聚了。

所以，你能快乐地生活，就是我最高兴的事情了。而且要是缺什么，一定要让我知道，因此我一切的辛劳也是值得的。

最后，再一次提醒，要好好保养你的身体，要常常想我，要爱我就像我爱你一样唷！

我永远都是你的！

注意喔！抓住！三个像糖一样甜的飞吻送给你！

永远爱你的

莫扎特

即使这么注意，小女婴还是在产下一个小时后夭折，真是教人难以忍受，然而莫扎特全都咬着牙撑过来了。1790 年，康兹坦丝再度怀孕，十个月后，顺利产下一个健康的男婴，取名为佛朗兹·萨维尔·沃尔夫冈，莫扎特希望他可以健康地长大。

这一段时间，莫扎特和他的学生到柏林去碰运气。为了筹措旅费，他不得不把家中仅有的银器偷偷地拿去典当。只是，在德国地区旅行了几个月，虽然有些演出的机会，却一点收入也没有，莫扎特黯然回到维也纳。

1789 年 8 月，《费加罗的婚礼》重新上演，得到热烈的欢迎，带给莫扎特新的希望。国王约瑟夫二世因此又请莫扎特写一部歌剧。这一次，为了避免曲高和寡，国王亲自挑选前一阵子在法国沙龙流行的趣事：《女人皆如此》（又称《恋爱学校》），由曾和莫扎特多次合作的达·彭特写剧本，预定在次年的 1 月彩排。

莫扎特全心投入这部歌剧的创作，海顿爸爸和借钱给他的富商普契博格也常常来关切他的进度。

1790 年 1 月 26 日，《女人皆如此》在维也纳首演。第二天，维也纳的《时尚杂志》立刻刊登一则消息：

> 我们要提供各位一部莫扎特崭新的、优秀的作品。
>
> 昨天晚上，歌剧《女人皆如此》在皇家剧院隆重首演。光听音乐，就能肯定是莫扎特的作品。

虽然《女人皆如此》的故事情节很有趣，而且是流行的题材，但是维也纳观众还是看不懂，不捧场。莫扎特失去了观众的掌声与喝彩，心里充满落寞。正挣扎着要不要加演，国王约瑟夫二世驾崩了，全国举哀，停止一切的戏剧活动。

虽然约瑟夫二世曾公开批评莫扎特的作品，但是私底下，莫扎特很喜欢这位国王，他开明，努力把自己塑造成一位关心时代、关心臣民的君王。他冒着触犯多数贵族的危险，大力削减贵族的权力，引起许多的反弹。而他最重要的功绩，就是建立国家歌剧院，鼓励音乐家，给他们的作品有演出的机会，恢复了德国歌剧的威望。尤其是莫扎特，感触特别深，因为国王的确给他很多机会，除了让他展现作品外，还给他宫廷作曲家的职位，让他有一份固定的收入。

继位的利奥波德二世，是个保守的人，虽然保留莫扎特宫廷作曲家的位置，但是却不关心他的生活。只有莫扎特自己最清楚家里和自己身体的状况，苦闷加上操劳，他的健康正逐渐衰退……

死亡与安魂曲

1790 年到 1791 年，一切都不顺遂。新国王的加冕礼竟不邀请他参加，其他的同事都被邀请前去了，独独漏了莫扎特，偏偏典礼中所用的《加冕曲》（原名《第二十六号古钢琴协奏曲》）还是他作的呢！音乐家不被邀请参加自己乐曲的演出，成何体统！莫扎特只有典当家里仅剩的家具，自费前往。

接下来，有个好机会到英国伦敦写两部歌剧。只是，他必须在伦敦住上六个月，这段期间的吃住没问题，但是旅费得自己负担。这又把他难倒了，只好放弃。

幸好，天无绝人之路。1791 年 3 月，维也纳戈登剧院经理席卡奈德找上莫扎特，交给他一部大型歌剧《魔笛》的剧本，剧本是经理自己写的，希望由莫扎特谱曲。他们经过多次讨论，莫扎特很看好它，决定接下来。《魔笛》预定于12月演出。

席卡奈德虽然自己也没钱，但是他和莫扎特都看好《魔笛》一定会卖座。为了让莫扎特专心写作，他用他仅余的钱在剧院旁幽静的院子里盖了一间小木屋，让莫扎特住进里面，不让闲杂人等来打扰他。

这一天晚上，妻儿在木屋里沉沉地睡着了。莫扎特就着微弱的烛光，赶着谱写《魔笛》的乐曲。突然，轻轻的敲门声响了起来。是谁会在这暗沉的夜里来找他呢？为了不吵到妻儿，莫扎特走出去。

就在由门缝泄出来的烛光中，莫扎特看到一个穿着黑斗篷的人站在屋前。

“有何贵干？”莫扎特小心地问。

黑衣人的脸罩在连帽兜下，看不清楚，也不说话，从怀里掏出一封信，交给莫扎特。

莫扎特仔细地打量那封信，没有家族标志，也没有皇家徽记，心里不禁升起疑问，到底是谁？为什么如此神秘？他把信退回去，作势要离开：“不表明身份，我不想看！”

黑衣人这才开口：“打开来看！我的主人叮咛我，不准泄漏身份。真的很抱歉。”

听他的用词用语及口音，莫扎特判断他是某个贵族的仆人。所以他打开信封，就着微弱的烛光，仔细读了信的内容：希望莫扎特代他，为死去的妻子写一首《安魂曲》，条件是不可主张是莫扎特写的，届时由出资人署上名字发表。信封里同时附上一笔丰厚的酬劳。

急需要钱的莫扎特接受了。到这种地步，署名有什么用？何况，要再写一首新的《安魂曲》，机会多的是！

但是，好奇的莫扎特还是想知道，谁是出资人？经过他偷偷地、

辗转地打听，原来是自认为作曲家的冯·瓦尔塞格伯爵，为了哀悼心爱的妻子而委托他的。

这时，命运之神好像回头想到莫扎特了。

他正在赶工写《魔笛》，又接下《安魂曲》的创作。8月时，布拉格国家剧院又邀请他，为9月6日庆祝利奥波德二世加冕，要上演歌剧《狄托王的仁慈》。剧本原来是梅塔斯塔兹写的，已经由马佐拉修改过。

时间非常紧迫，莫扎特不得不在旅途中谱写，总共只用了十八天的时间就完成了。他热爱布拉格，布拉格的民众也热情地欢迎他，他希望呈现最优质的歌剧。

9月中旬回到维也纳，他几乎累垮了。但是他不能休息，9月30日，《魔笛》在维也纳首演，慕名而来的观众把剧院挤得满满的。

歌剧才开始，捕鸟人帕帕吉诺出来唱道："我是捕鸟人，我是快乐的捕鸟人，全国的老老少少都认识我！"他身着羽毛装，怪异的妆扮、有趣的歌词，立刻吸引所有观众的注意，也引起许多笑声。然后随着剧情的展开，观众的情绪都被撩动了，等到终曲时，现场观众都疯狂了，报以热烈的喝彩及掌声。

看到维也纳的观众重新喜欢他的作品，莫扎特非常高兴，因为这不仅是一部大型歌剧，其中还暗藏了莫扎特想传递的共济会精神，譬如，智者的原型来自共济会的成员，也是矿物学家的冯·波恩伯爵。剧中有三对中心人物、三个善良的精灵、三次考验……而"三"正是共济会的象征数字。故事中男主角所面临的三个考验，也暗指共济会的入会仪式。

高兴归高兴，莫扎特的精力却好像用尽了，病倒在床上。可是，

《安魂曲》还等着他完成呢！他的学生来到床前听他口述，帮他写下来。只是进度却有如蜗牛爬行，每天写出来的东西少得可怜。

11月底，大家看出，莫扎特不只是疲累而已，显然他已经染上重病，想要康复恐怕很难了。他发高烧、流汗不止、抽搐、手脚浮肿，每隔一阵子就剧烈呕吐，好不容易喝一点稀麦片粥，不一会儿又腹泻。虽然，偶尔他会清醒过来，打起精神要学生拿着纸笔到他床前，听写几个音符。可是不过几分钟的时间，他又难过了，无法继续工作。

12月4日，莫扎特的病情开始恶化，他陷入昏迷，呓语不断，喃喃地说着，他已经尝到死亡的味道。

因为康兹坦丝生产不久，无法照顾生病的莫扎特，康兹坦丝的妈妈和妹妹到家中来帮忙。医生要妹妹拿毛巾浸在醋和冷水的混合液中，放在莫扎特的额头上，帮他降温，希望他可以感觉舒服一点。接近凌晨时，莫扎特痉挛起来，浑身打颤，嘴脸扭曲，然后陷入昏迷。就这样，5日凌晨一点左右，莫扎特停止呼吸，撒手离开人间。

6日一大早，没有热情的观众、没有庞大的乐团，因为天气恶劣，只有几个亲朋好友站在窗边，用手绢儿捂着早已哭红的眼睛和鼻子，目送着临时找来的抬棺人，一脚高一脚低地走进圣马克穷人公墓。他们不知道，莫扎特的遗体，被埋入一个可以装十五至二十人的共同墓穴，坟墓上连个墓碑也没有……

幸好，不是所有的人都忘了他，7日的《维也纳日报》刊登了这则消息：

> 本月的4日至5日晚上，宫廷作曲家沃尔夫冈·莫扎特逝世于他的寓所。

莫扎特自幼即以非凡的音乐才能闻名全欧，他的天赋经过后天的培养与磨练，终于登上巨匠的巅峰地位。他的作品博得王公贵族与平民百姓一致的喜爱与赞叹，证明了他的音乐才能。然而，因为他的逝世，造成音乐艺术永远无法弥补的遗憾。

12月24日则用更大的篇幅报导：

音乐家莫扎特在布拉格的友人，于14日为他举办庄严的追思会。典礼由布拉格管弦乐团安排，所有布拉格著名的音乐家都参加了这次的追思会。

这一天，所有教堂的钟声全部一起敲响，长达半个钟头。原本可以容纳四千人的巴黎教堂，挤满这位已故音乐家的拥护者，几近爆满，但却一片静默，大家的脸上只有哀伤……

此外，莫扎特亲爱的海顿爸爸为了推广他的作品，写信给伦敦的音乐出版商："我唯一的遗憾是，在他死前仍未能说服英国人领略他的伟大。……我希望能为他的遗孀募款，推广他的作品。三个礼拜前，我写信给那位悲伤的小妇人，让她知道，当她所疼爱的儿子到达相当的年龄，我会尽我最大的能力为他上作曲课，并且分文不取，以完成他父亲的心愿。"

所以，莫扎特没有随时间的流逝而被淡忘，即使在时隔二百多年后的今天，世界各地仍不断上演他的歌剧，演奏他的曲目，不断赞叹他的伟大！

遗　珠

一、后来要去找莫扎特的遗体，已属不可能。因此，现在的莫扎特纪念碑中，只具有纪念的象征意义，并没有莫扎特的遗骨。

二、在许多有关莫扎特的传记中，都形容他的妻子——康兹坦丝，是个挥霍无度的女子。近来经过考证，已经证明，她深思熟虑又能干，并且是愿意随时捍卫先生作品的好太太。但是因为多次的怀孕与生产，让她病痛连连，的确花了莫扎特许多钱。但是，莫扎特死后，她守寡将近二十年，独力抚养两个小孩。后来她嫁给冯·尼森。尼森根据康兹坦丝的描述，并收集资料，写出莫扎特的第一部传记。他在传记中非常推崇莫扎特："莫扎特写任何的曲子，表现出来好像很轻松，而且快速，甚至不必在钢琴前面试弹一下，让那些不明就里的人以为他急就章、漫不经心、随随便便……其实，因为他对作曲的深厚基础，脑海中轻易地、圆融地架构出作品的全貌。也就是说，早在他提笔写下之前，作品早已存在他的脑中了。"

三、莫扎特夫妻的六个孩子中，只有两个儿子存活下来。哥哥是卡尔·托玛斯，长大后在行政机关找到工作。弟弟佛朗兹·萨维尔·沃尔夫冈继承父业，从事音乐工作，他在作品上都签上沃尔夫冈·阿玛迪斯·莫扎特的名字。他们兄弟俩一生未娶，没有留下子嗣。

四、二百多年来，全世界的人将莫扎特推到"天才音乐家"的地位，连知名儿童文学家罗尔德·达尔都赞不绝口。

"假使莫扎特今天还活着，我怀疑他是否能够作出那种如江河般的伟大音乐。像他那样的天才，很快就会被好莱坞重金礼聘去写

电影音乐,或者被电视邀请到成千百万的观众面前炫耀,或被舞台经理委托写些无聊的音乐喜剧。但是,我们很庆幸,我们看到莫扎特的坚持,因而拥有这些旷世的巨作。”

歌剧的故事

歌剧是什么?

西洋的歌剧,指的是利用音乐和歌唱表演的戏剧,类似于京剧和台湾的歌仔戏。西洋歌剧属于综合艺术,音乐包括独唱、重唱、合唱及管弦乐,剧本则要具备文学的要素,戏剧还要求导演和演员的演技,其他如布景、戏服、照明和舞台艺术等都是要素。

歌剧名词浅介:

谐歌剧和喜歌剧

意大利人以日常生活为素材,使用日常语言的喜剧。和法国的喜歌剧不同,喜歌剧的特征是含有只说不唱的台词,偶尔会在宫廷中演唱,但因难登大雅之堂,通常只做娱乐之用。原来它只是庄歌剧中的“幕间剧”,但因音乐的进行变化多,舞台效果华丽、热闹,逐渐演变成独立歌剧。

德式歌唱剧

歌唱剧有喜剧的内容，音乐之外又穿插只说不唱的对白，将德语的台词与歌曲巧妙地编织在一起，属于典型的德国民俗音乐剧，不会在贵族社会中演出，纯粹是老百姓的娱乐艺术。

庄歌剧

是当时王公贵族于喜庆宴会或交际时，作为礼仪而演奏的“御用艺术”。因此内容及表现形式都得遵循一定的原则，限制较多。

莫扎特的歌剧

莫扎特的歌剧主要是从意大利歌剧的样式出发。他少年时期在意大利的游学及马蒂尼老师的教导，给予他许多的启发。而当年德国地区也深受意大利歌剧的影响。

莫扎特有着惊人的天赋及创作力，他把两百年来的歌剧融合起来，通过他的创作完美地展现出来。他的歌剧，音乐比剧本更具吸引力，不仅旋律很美，登场的人物都借由音乐表现温暖的生命力，及丰富的内在。

他的作品中，具有庄歌剧型态的有《伊多梅诺》和《狄托王的仁慈》；属于喜歌剧的则有《费加罗的婚礼》、《唐·乔凡尼》和《女人皆如此》；而《后宫诱逃》和《魔笛》则属于德式歌唱剧。

莫扎特的歌剧被后人分成两个时期，一是他十一岁到二十四岁的青年期，因为那不勒斯乐派的影响，共有十二出。第二个时期，称为成熟期，是他二十五岁至三十五岁过世前的作品，共有八出。

莫扎特所有的歌剧中，世人公认的三大歌剧杰作为《费加罗的婚礼》、《唐·乔凡尼》和《魔笛》。

《牧羊人与牧羊女》

歌剧《牧羊人与牧羊女》是只有四十分钟的独幕剧。主要人物为：巴斯丁、巴斯丁娜和魔法师。故事背景为17世纪的科西嘉岛。

故事是从牧羊女巴斯丁娜为爱情哀叹开始，因为她的情人巴斯丁好像移情别恋，爱上别的姑娘，这一切让巴斯丁娜很烦恼。

这时，村里的魔法师吹着风笛从山岗上走下来，他看出巴斯丁娜的烦恼，好意地关怀她。巴斯丁娜说出自己的苦恼，并请求他用魔法帮她解决困扰。但是，巴斯丁娜也诚实地表示，自己没有钱可以答谢，只有一对金耳环。

魔法师对她开玩笑，说自己并不想要金耳环，若真能帮上忙，巴斯丁娜送他一个吻就可以了。巴斯丁娜生气地回答，她的吻只能留给巴斯丁，而且发誓，若是不能和巴斯丁结婚，她宁可一死。

魔法师看出巴斯丁娜的决心，告诉她，恋爱必须运用战略，才可能赢得情人的心。于是教她，暂时对巴斯丁采取冷淡的态度。

他们正在对话时，巴斯丁从小路的另一头走过来，魔法师要巴斯丁娜先躲到一旁，由他来对付巴斯丁。

没想到，巴斯丁是来告诉魔法师，他只爱巴斯丁娜一人，根本不把其他的姑娘放在眼里。然而，魔法师却对巴斯丁说，巴斯丁娜已爱上别人，这一切都太迟了。

这个消息犹如青天霹雳，让巴斯丁失声大叫起来。魔法师还故意装出得意洋洋的模样，道出巴斯丁娜所以会爱上别人，全是魔法的功劳。因此，巴斯丁也央求魔法师为他把爱找回来。

魔法师装模作样地把魔法书拿出来，翻来翻去地查阅，又叽叽

咕咕地念了一段咒语，然后要巴斯丁留在原处，自己则溜进了路旁，要巴斯丁娜出去见情人。

两个情人一见面先吵了一架，气得巴斯丁娜想跑步离去。这时，巴斯丁低头认错，并且大喊："没有你，我活不下去！"才感动了巴斯丁娜，两人言归于好。魔法师跟着上场，高兴地说，这一切都是托魔法的福。他祝福两人婚姻幸福美满。

终曲就在洋溢的田园气氛中落幕。

歌剧《牧羊人与牧羊女》背后的故事

《牧羊人与牧羊女》一剧，又译为《可爱的牧羊女》，是莫扎特十二岁时所写的德语歌唱剧。

1768 年春天，十二岁的莫扎特到维也纳，因为奥皇约瑟夫二世的委托，写了歌剧《善意的谎言》，上演时却遭到各种阻挠，无法在维也纳顺利演出。为了替莫扎特打气，和莫扎特一家有亲密往来的麦斯梅尔医生，委托莫扎特谱写具有田园气氛的歌剧。

《牧羊人与牧羊女》的剧本是根据法国大思想家卢梭原作"乡村占卜师"，经过作词作曲，取名"巴斯丁与巴斯丁娜的恋爱"的剧本，再由魏斯肯翻译成德文，莫扎特的邻居夏哈特纳又改写一部分的内容而成。

10 月 1 日，《牧羊人与牧羊女》在麦斯梅尔医生的私人剧院首演，前去观赏的全是至亲好友。次年，才在莫扎特的故乡萨尔兹堡演出。大家称誉它是一部天真浪漫、可爱无比的田园风格作品。

《彭特王米特里达特》

《彭特王米特里达特》是三幕的歌剧。主要人物有:彭特王米特里达特、艾丝巴希亚(彭特王的年轻未婚妻)、席法列(彭特王的次子)、华纳杰(彭特王的长子)、伊芝梅纳(帕第亚国的公主)、罗马护民官及彭特城总督。故事背景为公元前黑海边的一个城市。

第一幕

彭特王出征战场,不久就传回他战死的消息。次子急忙出来管理国家,要总督效忠于他。这时,彭特王的年轻未婚妻艾丝巴希亚向次子诉苦,表示长子常常纠缠她,次子答应会保护她。

长子把艾丝巴希亚带到维纳斯神殿,强迫她结婚,次子赶来解救她,兄弟俩因此起冲突。正吵得不可开交时,总督跑来报告,彭特王平安归来。当他知道两个儿子吵架时,训斥他们:兄弟阋墙一无是处,只会给敌人制造机会。

大家都很高兴彭特王的归来,只有艾丝巴希亚很烦恼,因为她已经爱上次子,不知如何是好。

表面上,长子表现对父王的归顺,但是私底下却和罗马护民官往来,想要谋反,自己取得王位,和艾丝巴希亚结婚。

没多久,长子的未婚妻,帕第亚国的公主伊芝梅纳前来彭特城,虽然住在皇宫里,却感觉到长子的冷淡,怀疑他爱上别人。

与此同时,彭特王私下召见总督,告诉他,所以放出战死的消息,是为了考验两个儿子的忠诚。总督也根据观察,诚实地对彭特王报告,长子有背叛的行为,次子则忠诚不二。彭特王听了非常生气,决定惩罚长子。

第二幕

在皇宫里，伊芝梅纳向长子抱怨，为何对她不再热情。长子轻描淡写地回答，因为公主回去自己的国家，分开两地，热情才会消退。伊芝梅纳撒娇似的威胁他，若是不对她好一点，她要让彭特王知道，没想到长子却不在乎，可把伊芝梅纳气坏了。

另一处的彭特王也发觉艾丝巴希亚的态度变得很奇怪，怀疑她喜欢长子。他把这个怀疑告诉次子，而且表明生气的态度。

次子火速奔往艾丝巴希亚所住的宫殿，质问她是否有这件事。艾丝巴希亚坦白地告诉次子，她爱的其实是他，不是长子。次子一听，非常苦恼，他的确也爱上艾丝巴希亚，但他知道那是不对的。

这时，彭特王决定处理这件事情，他要长子带兵征战罗马，长子拒绝，并且不服气地说，不是只有他背叛，次子也背叛了父亲，因为次子爱上了未来的皇后。彭特王不愿相信，找来艾丝巴希亚证实这件事情，心里非常难过。

第三幕

彭特王气得要处死两个儿子，艾丝巴希亚和伊芝梅纳都各自为他们的爱人求情，但是彭特王不为所动。这时总督慌张地进来通报，罗马大军来犯，彭特王只有放下这一切，带兵迎战。

彭特王离开之前，派人送一杯毒酒给艾丝巴希亚。艾丝巴希亚知道彭特王的意思，正要饮下毒酒时，被伊芝梅纳救出来的次子及时赶到，打翻毒酒。但是他不能久留，因为他必须赶赴战场，救助父王。

激烈的战争后，彭特王受重伤，由次子护送回国。这时彭特王终于明白次子的孝顺与忠心，对着大家表示，要把王位和艾丝巴希亚赐给次子。就在他断气之前，伊芝梅纳也进来禀告，长子悔悟了，已经在港口烧了罗马人所有的船,并乞求彭特王赦免他。彭特王很高兴地宽恕长子,没有遗憾地离开人世。故事也在大家悲怆激昂的歌声中结束。

歌剧《彭特王米特里达特》背后的故事

这部歌剧,是莫扎特十四岁在意大利游学时所作的。这一次的游学历时一年零四个月,使得莫扎特在歌剧写作上有长足的进步。

1770 年,莫扎特父子在意大利北部各地旅行演奏,也到处观赏歌剧。

3 月 12 日在费米安伯爵的家中演唱三首咏叹调[1],获得肯定,因而接到这部歌剧的委托,作曲费是一百格尔登(当地的钱币名),契约上还注明:预定于该年的圣诞节上演,所以 10 月时要把咏叹调先送到米兰,11 月 1 日,莫扎特要回到米兰,和歌手们一起修改咏叹调。

不料,事情不如想象中的顺利。莫扎特到 7 月底才在波隆纳拿到剧本,9 月底才开始动手写宣叙调,10 月 18 日回到米兰才赶着写咏叹调。此外,有一部分意大利人认为,德国少年不可能写好意大利歌剧,故意阻挠,甚至鼓噪歌手不要配合,许多咏叹调因而被迫重写。

好不容易,此剧终于在 12 月 26 日在皇家杜卡尔剧院首演。这一夜,意大利观众见识到,涉世未深的十四岁小男孩,在处理剧中人物纠葛、复杂的感情时,能透过音乐表现出来,而且操控自如。他们不禁激动得大喊:"了不起!万岁!"

随后,这出歌剧在该剧院连续上演二十次,每一夜都爆满。

---

1 在歌剧或其他任何大型的声乐作品中,为了表现角色内心情感,利用比较丰富完整的音乐形式与内容来推动剧情,并和简单的宣叙调区别。

《假女园丁》

歌剧《假女园丁》是三幕的歌剧。主要人物有:市长、侯爵千金(假装为女园丁)、伯爵(侯爵千金的未婚夫)、市长侄女、绅士、女仆、男仆(侯爵千金的仆人)。故事背景为18世纪的某一个意大利城市。

前言

伯爵因为误解未婚妻,以为她移情别恋,伤心地刺杀她后逃逸。然而,侯爵千金被救了回来。康复后,带着男仆到处去找伯爵。

他们来到市长家,因为假装成女园丁而被雇用,男仆也成为市长的仆人。在市长府邸,市长过去一直疼爱年轻女仆,还曾经暗示要娶她。但是,市长看到女园丁后转而喜欢上她,这让女仆非常不高兴。同时,原来和绅士是情人的市长侄女,也因为伯爵的出现而喜欢上他,并且愿意和他结婚,正积极地筹办婚礼。

第一幕

在市长官邸门口,市长、绅士、女园丁、男仆和女仆一起等候市长侄女到来。这一边,市长对女园丁献殷勤;女仆看到这一切,在一旁生闷气;绅士也向市长抱怨自己的情人移情别恋。

市长为了要和女园丁单独相处,支开女仆,要她去检查婚礼筹备的状况。女园丁向市长表示,因为身份悬殊太大,不能接受市长的爱。

等市长离开后,她向男仆抱怨,如果市长继续纠缠不清,他们只好离开这里。

没多久,市长侄女到达,伯爵也随后赶到,并在市长面前吹嘘自己高贵的家世与血统。市长听了,不以为然,哈哈大笑离去。

在花园一角的女园丁看清楚新郎的长相,竟然是自己的未婚夫,

吓得昏了过去。

伯爵抢先过来相救，发现女园丁和自己刺杀的未婚妻很相似，不由得呆住了。市长侄女立刻察觉，认为其中必有问题。

市长处理完事情回来，发现花园的气氛很奇怪，正纳闷时，女仆在一旁加油添醋，说女园丁和伯爵抱在一起，很亲热。市长原来不肯相信，但却在花园的另一个角落看到伯爵跪在地上，乞求女园丁的原谅。这一幕，不仅市长看到了，连市长侄女也看到了，大家就在互相叫骂中结束第一幕。

第二幕

绅士劝市长侄女不要和伯爵结婚。市长侄女有些难以割舍。这时伯爵出现，对市长侄女表示另有所爱。市长侄女因而气愤地离去。

伯爵等在花园，向女园丁请求言归于好。女园丁不肯承认自己的真实身份，弄得伯爵很困惑，又因市长的到来只有匆匆跑开。市长趁机诱惑女园丁，只要她肯嫁给他，愿意把她从女仆的身份提升为贵妇。女园丁不为所动。市长因而非常地生气，辱骂女园丁。女园丁勇敢地顶撞他，主张即使是女仆也有自尊，然后转身离开。

看着女园丁离去的身影，想着她讲的话的确有几分道理，市长懊悔起来。

这时，市长侄女向市长坚持要和伯爵结婚。绅士也拿一张逮捕令出现，上面正是缉拿伯爵的通告。市长决定，在事情未明朗之前暂停结婚之事，因为他不想冒险，让侄女带着一大笔财富嫁给逃犯。

很快，伯爵就被捉拿至市长面前，定了刺杀侯爵千金的罪。就在紧要关头，女园丁出来向大家承认，她是侯爵千金，虽然被刺伤，现在已经康复。伯爵因而被释放。

然而，当伯爵和女园丁单独相处时，女园丁又否认自己的身份，这可把伯爵搞迷糊了，不知道该相信谁的话。

夜晚来临了，大家遍寻不着女园丁。忠心的男仆到处打听，原来是市长侄女派人把女园丁丢在黑森林。他赶忙举着火把前往黑森林相救。听到消息的市长和伯爵也陆续来到黑森林，终于在一个阴暗的山洞，找到惊吓过度因而有些精神错乱的女园丁。就在混乱中，大家回到市长官邸。

第三幕

还没从惊吓中清醒过来的女园丁，在花园中走来走去，还喋喋不休。市长侄女则在官邸中缠着市长，要他主持婚礼。绅士则在一旁希望她能回心转意。

过了几天，女园丁逐渐恢复过来，知道婚礼即将举行，难过地前往参加，打算向伯爵新郎道别。没想到，伯爵拉起她的手，对大家宣布："这位美丽的姑娘才是我的新娘。"市长侄女也知道自己错了，承认是她陷害女园丁，请求侯爵千金的宽恕后，她回到绅士的身旁。男仆和女仆也结成连理。最后，就在大家高呼"女园丁万岁"中，幕缓缓落下。

歌剧《假女园丁》背后的故事

莫扎特在意大利游学期间，共写过两部庄歌剧。而真正接受委托并且真正上演的喜歌剧，《假女园丁》则是第一部。

这部歌剧是为了于圣诞节时在联欢会上演出，1774 年 9 月由巴伐利亚选侯马克西米利安三世委托而作。12 月 6 日，莫扎特和父亲抵达慕尼黑，带着部分已经写好的曲目。28 日开始进行彩排。本来预定 29 日首演，却因其他的因素，加上莫扎特牙龈发炎，嘴巴都肿起

来了,只有往后延,直到次年的1月13日才正式演出。演出相当成功,但不知为什么,只演了两次后就停止了。而且从此以后,再也没有以意大利语上演的记录。

根据现存资料查考,这出歌剧的第一幕意大利语亲笔曲谱已经散佚。目前,在世界各国的演出都以德语用歌唱剧的方式演出。

《柴伊德》

歌剧《柴伊德》是长度四十五分钟的两幕歌剧。主要人物有:柴伊德、葛马兹、阿拉金、土耳其皇帝、卫兵队长。故事背景在土耳其。

第一幕

被抓到土耳其宫殿的欧洲贵族葛马兹,现在成为奴隶。这一天因为工作劳累躺在地上就睡着了。同样也是被捕的欧洲姑娘柴伊德看到他劳累的模样,很同情他,把自己的画像和珠宝留在他身旁,正准备离去时,葛马兹被惊醒过来,看到美丽的柴伊德,立刻爱上了她,立志要带她逃离土耳其。但是,柴伊德表示自己是皇帝的宠妃,要逃离魔掌并不容易。

他们正在讨论时,皇帝的心腹阿拉金过来警告他们俩,要是被皇帝抓到,他们的小命一定不保。

葛马兹看出阿拉金的白皮肤,请求:看来你也是欧洲人,何不帮我们的忙?不要再当皇帝的奴隶了。并且把珠宝转送给他。

阿拉金心动了,告诉他们海边藏有小船的地点。于是三个人相约在遥远的欧洲大陆相见,就分头逃出皇宫。

第二幕

皇帝得知他心爱的宠妃柴伊德逃走的消息,非常生气,派出卫兵去抓他们回来。没多久,他们全被抓到皇帝的面前。皇帝要柴伊德诚实地说出逃亡的原因。柴伊德除了说自己想念家乡外,还说爱上了葛马兹。这让皇帝很生气,大骂柴伊德枉费他的一片好心。

接着,皇帝也审问阿拉金,为什么放走奴隶?阿拉金说不出理由。更让皇帝伤心,决定将他们三人处死。

这时,阿拉金在一旁喃喃自语:十五年前,他是西班牙军舰舰长,在荷兰附近航行时,看到一艘土耳其商船被欧洲海盗攻袭,当时,他不顾危险地前往相救。不料几年后,他自己的军舰被土耳其的海盗偷袭,因而被俘成为奴隶……

没想到皇帝听到他的话,非常惊讶,原来当年他就在那艘土耳其商船上,若不是阿拉金拔刀相救,恐怕早就身首异处了。因此,他亲自为阿拉金解开捆绳,放他自由。阿拉金却要求同时也要赦免柴伊德和葛马兹。因为阿拉金一再恳请,皇帝终于释放柴伊德和葛马兹,让他们回欧洲。阿拉金则继续留在土耳其皇宫当顾问。

歌剧《柴伊德》背后的故事

歌剧《柴伊德》是莫扎特死后,于1799年才在他的遗稿中被发现的剧作。草稿只写到第二幕,没有序曲,也没有剧名,后人只好以女主角名为剧名。

根据莫扎特的遗孀康兹坦丝表示,她对这部作品一无所知。后人推论,这部歌剧大概是1779年,为访问萨尔兹堡的贝姆剧团所写,莫扎特大概希望这个剧团能将此剧搬到维也纳演出,但未能如愿。不过,这部歌剧和三年后演出的《后宫诱逃》有许多相似的地方,如:

背景都是土耳其，剧情也很类似，只有主角人物的名字不同罢了。

现在的我们无法知道当初莫扎特为什么停止写作，但根据推测，可能是1780年时，奥地利玛丽亚女皇驾崩，所有的剧院都停止戏剧活动。没有上演的机会，莫扎特只有停下来了。

《伊多梅诺》

歌剧《伊多梅诺》是三幕的庄歌剧。主要人物有：伊多梅诺、王子、伊莉亚（特洛伊国公主）、爱蕾特拉（阿果斯国公主）、大臣、祭司。故事背景发生在公元前1200年，特洛伊战争后的克里特岛。

第一幕

国王伊多梅诺领着军队攻陷特洛伊后，俘虏了他们的公主伊莉亚，搭船返回克里特岛。途中遇到海上风暴，船只翻覆，伊多梅诺和伊莉亚都掉入海中。伊莉亚随着海浪被冲上克里特岛的岸边，为王子所救，接回皇宫。经过梳洗打扮的伊莉亚美艳动人，王子立刻爱上了她。但她却告诉王子，她是他的敌人，让王子心里很难过。与此同时，阿果斯国公主爱蕾特拉也来到克里特岛，她喜欢王子，但是王子因为有了心上人，对她不理不睬。

正当王子为爱苦恼时，大臣进来报告，国王已经遇难葬身海底。王子更加难过了，每天都到海边等待，希望有奇迹出现。

却说，在暴风雨中落入海里的国王伊多梅诺，险些灭顶。在惊慌之中，他向海神起誓，只要他能平安归国，愿意将第一个见面的人的生命献祭给祂。因而他平安地漂流回到克里特岛。只是，当他从沙滩上站起来时，却看到在海边等候多时的王子高兴地迎接他。他惨

叫一声，转身逃走。

第二幕

伊多梅诺对大臣说出曾经发过的誓言。大臣因而献计，让王子和爱蕾特拉躲到阿果斯国去，海神就无可奈何了。

然而，伊莉亚知道王子将和爱蕾特拉一起离开，心里很矛盾，因为她也已经喜欢上王子了。所以她向国王诉说自己的心情，并且表示，自己的父母已经战亡，她将把伊多梅诺当成自己的父亲一样尊敬。伊多梅诺知道伊莉亚爱上王子，没有高兴，反而更烦恼了。

这时，王子和爱蕾特拉准备登船离开克里特岛，国王、王子和伊莉亚心中都很难过，只有爱蕾特拉兴高采烈，因为她认为，只要有单独相处的机会，王子一定会喜欢上她。

不过，他们才踏上甲板，海上突然掀起狂风巨浪，接着又出现一只巨大无比的怪兽，吓得大家四处逃窜。

第三幕

皇室成员躲回皇宫，正忐忑不安时，王子自告奋勇要去杀怪兽。离去之前，伊莉亚要他多加小心，两人亲密地拥抱在一起。这一幕让随后进来的伊多梅诺和爱蕾特拉看见了，心里百味杂陈。

大臣在这时冲进来，说民众要求查明怪兽出现及灾祸的原因。大祭司也禀告国王，城里突然瘟疫横行，一定是有人不遵守诺言，惹得海神发怒了。他还说，为了不让情况恶化，唯有活人献祭才能平息海神的愤怒。虽然王子已经战胜怪兽回来，但是大家仍然主张应该将他献祭。

就在伊多梅诺含着眼泪，准备举起斧头时，伊莉亚冲过来挡在王子面前，愿意代替王子成为祭品。没想到，海神像在这个时候动了

起来，并开口说话："伊多梅诺必须让位给王子，而且王子必须娶伊莉亚为妻。"

海神像说完，一切灾难都消失得无影无踪，大家都很高兴，只有爱蕾特拉黯然离去。故事就在欢天喜地、庆贺平安的合唱中结束了。

歌剧《伊多梅诺》背后的故事

《伊多梅诺》是莫扎特所做庄歌剧的代表作，剧本是根据希腊阿伽门农的传说写成。莫扎特由传统意大利样式出发，又加入格鲁克等人法国歌剧的要素，加上他的音乐天赋，让许多音乐家公认此剧是18世纪末最优秀的庄歌剧之一。

1780年，莫扎特二十四岁。那年的夏天，莫扎特在萨尔兹堡当宫廷乐师，过着苦闷无趣的日子，慕尼黑选侯委托他写这一部歌剧，他立刻开始动手，为他平淡的生活带来生气。这一年的12月5日，他前往慕尼黑时，大部分的曲目都已经写好。1781年1月29日，也就在莫扎特过完二十五岁生日后，在慕尼黑宫廷剧院首演。只是对当时的观众来说，这部作品太新颖了，无法理解，因此首演后就被遗忘了，沉寂了将近两百年，直到1931年，才在瑞士重新被搬上舞台，再度引起人们的注意。

《后宫诱逃》

歌剧《后宫诱逃》是三幕的歌唱剧。主要人物有：土耳其总督、康兹坦丝、女仆、贝蒙泰（康兹坦丝的未婚夫）、男仆（女仆的未婚夫）、警卫。故事背景为18世纪的土耳其。

第一幕

康兹坦丝、她的女仆和贝蒙泰的男仆在航海时被海盗抓走，然后被转卖到土耳其总督的官邸。贝蒙泰赶到这儿来，想办法营救他们。正烦恼时，看到官邸警卫在树上摘无花果。贝蒙泰赶紧向他打听男仆的下落，但是警卫很不耐烦，两人因而吵了一架。

贝蒙泰正在想方设法地要混进官邸时，遇见男仆走出来，两人见面非常高兴，贝蒙泰得知心上人和女仆都很平安，心上的一颗大石头终于落地了。只是，总督对康兹坦丝有意思这个消息让他不免又担心起来，他知道，必须尽快把两位姑娘救出来。于是，他们两个商量，贝蒙泰以意大利建筑师的头衔混进官邸。

这一招果真管用，总督雇用了贝蒙泰。贝蒙泰因此可以在官邸内四处走动。但是就在花园里，警卫却认出他来。不得已，贝蒙泰只好和男仆联手制伏警卫，然后躲进后宫花园。

第二幕

警卫喜欢女仆，老是缠着她，对她唱情歌，但是女仆对他不理不睬。然而，康兹坦丝对总督采用这方法就不管用了，总督生气地恐吓，若是不顺从他的意思，就等着吃鞭子。康兹坦丝仍然不为所屈，勇敢地回答，再多的苦头她也不怕。

看着康兹坦丝坚毅离去的身影，总督不由得纳闷起来，一个弱女子为何有如此的勇气顶撞总督，莫非……莫非她计划逃亡？他决定密切观察她的行动。

另一边，男仆故意去跟警卫道歉，并且带酒请他喝。本来，身为伊斯兰教徒是不准喝酒的，可是警卫禁不起诱惑，没多久就醉倒了。

没有警卫在旁边阻挠，贝蒙泰和男仆见到康兹坦丝和女仆，并计

划好于深夜逃出官邸。只是，本来应该很快乐的重逢，却让两个男人起了疑心，怀疑他们的未婚妻可能不忠诚。

这种不该有的疑心让康兹坦丝很难过，忍不住哭了起来。女仆则赏了男仆一巴掌。清脆的巴掌声让两个男人醒了过来，四个人沉浸在重逢的喜悦中。

第三幕

夜深了，因为贝蒙泰和男仆的帮忙，康兹坦丝和女仆偷偷地从窗户爬出来，准备逃到海边，但却被总督的哑黑奴发现。哑黑奴摇醒警卫，因而他们全被警卫一网打尽。

四个人被押到总督面前。为了脱困，贝蒙泰说出自己的真实身份——荷兰司令官的儿子，并且愿意付出很高的赎金。没想到总督一听更生气了，因为司令官是他的死对头。现在他必须好好想一想，如何处置他们。

虽然可能被处死，康兹坦丝和贝蒙泰因为和心爱的人在一起，一点都不害怕。他们的信心也感染了男仆与女仆，不畏惧任何的处罚。

这时，总督作出决定。他宣布，报仇是丑恶的，不值得鼓励的。所以他决定释放四人。

最后，就在大家齐声赞美总督的仁慈中，幕缓缓落下。

歌剧《后宫诱逃》背后的故事

《后宫诱逃》被后人誉为莫扎特所作歌唱剧中最完美的一部。

早在莫扎特十二岁时，即以《牧羊人与牧羊女》，一脚踏入歌唱剧的世界。虽然在1779年，他有另一个机会再写一部歌唱剧，即是他草稿夹中的《柴伊德》，但不知由于何种原因而停笔。

1781年，莫扎特和萨尔兹堡的新主教决裂，愤而提出辞职函，然

后以独立音乐家的身份在维也纳谋生。7月下旬，当时的奥皇约瑟夫二世为了振兴德语歌剧，委托他谱写一部新歌剧。正好莫扎特看到维也纳皇家剧院演员兼剧作家斯特凡尼所改写的剧本，激起他强烈的创作欲，答应接下此部歌剧的谱写。

8月下旬，莫扎特已经写好第一幕，但是不知什么原因，中断了一阵子，直到次年的5月、6月，才陆续完成第二幕及第三幕。而且，演出前还遭遇种种阻挠，若不是约瑟夫二世下令演出，此部歌剧可能无缘和观众见面。

1782年7月16日，《后宫诱逃》在维也纳布尔格剧院首演，而且大获成功，连演了好几场。莫扎特的偶像格鲁克对此剧非常赞赏，因为，神秘的东方世界——土耳其式的背景，正是当年维也纳的流行时尚，题材又充满趣味；音乐不仅表现异国风味，同时融合了意大利音乐和法国谐歌剧的要素，创造出属于莫扎特的独特风格。但不知是不是剧情暗中诋毁了皇室，约瑟夫二世看完后，好像有些失望，批评：“音符太多了！”莫扎特听了也很不高兴，顶撞道：“音符只用了必要的分量！”这是一则有名的轶事。

《后宫诱逃》剧中洋溢着青春之美，正好反映莫扎特当时脱离新主教箝制的愉快心情。妙的是，剧中不仅赞叹爱情坚不可摧的力量，女主角的名字正好又称为康兹坦丝，和他当时的恋人康兹坦丝同名。此剧首演不到一个月，就在8月4日，他和康兹坦丝走入结婚礼堂。因此，大家都将它们作了美妙的联想。

《剧院经理》

歌剧《剧院经理》是一幕十场的"附单乐章的音乐喜剧"。主要人物有:剧院经理、男演员、男歌手、两位女高音。

剧情简介

剧院经理打算在萨尔兹堡组织一个剧团。立刻有许多人前来,他们不是拿着推荐信,就是毛遂自荐,都希望能得到适当的角色。两位女高音都是顶尖高手,剧院经理非常满意。不料为了首席女高音的位置,两位女歌手竞争执起来。

为了展现自己的实力,两位女歌手使出浑身解数展露自己的唱歌技巧。男演员和男歌手都加入调解的行列。

经过一段劝说,为了伟大的艺术,两位女高音化敌为友,愿意同心协力,共同为剧团做最完美的演出。

歌剧《剧院经理》背后的故事

《剧院经理》既不是歌剧,也不是歌唱剧。全剧只有四首歌曲,但每一曲都具有独特性,淋漓尽致地表现了莫扎特的作曲技巧。

此部作品,是奥皇约瑟夫二世为了欢迎荷兰总督来访,要在美泉宫的花园剧场举行庆祝会,而委托莫扎特所作。

当时,莫扎特正埋首于歌剧《费加罗的婚礼》的创作,但仍然在1782年2月6日提前完成此部音乐剧的谱写。第二天即在美泉宫大温室演出。此剧于莫扎特在世时,总共只演过三次。等他过世后,经过多人改写,尝试再上演。

此剧的剧本由斯特凡尼所写,他也是《后宫诱逃》的剧作者。

Der Schauspieldirektor

《费加罗的婚礼》

歌剧《费加罗的婚礼》是四幕的喜歌剧。主要人物有:伯爵、伯爵夫人、费加罗(伯爵的仆人)、苏珊娜(费加罗的新娘,也是伯爵夫人的贴身女仆)、侍童、女管家、医生、音乐教师等十一人。故事背景为17世纪的西班牙伯爵家。

前　言

伯爵因为费加罗的帮忙,娶到美丽的伯爵夫人。而费加罗因为和伯爵夫人的女仆苏珊娜相恋即将结婚,可是伯爵却想占苏珊娜的便宜。

第一幕

在伯爵配给费加罗和苏珊娜的结婚新房里,两个人正忙着布置。费加罗很喜欢这间新房子,但是苏珊娜却说出她心里的不安。她认为,伯爵把这么靠近主卧房的房间配给他们,其实是别有居心。她担心,傍晚他们结婚时,伯爵恐怕会把费加罗支开,要他去做别的事情,而自己来和新娘在一起。

苏珊娜说到这里,伯爵夫人正好召唤苏珊娜,于是留下费加罗一个人在房间,想了又想,越想越不是滋味。为了不让伯爵得逞,他想了一个计谋,而且立刻着手进行。

伯爵大宅院的另一头,女管家和医生也交头接耳地商量着。因为费加罗以前曾向女管家借钱,借据上明白地写着:若是费加罗无法准时还钱,就必须和年老的女管家结婚。而医生则因为爱人嫁给伯爵,对费加罗也没有好感。所以,他们决定联手对付费加罗。

苏珊娜从伯爵夫人那儿回来时,费加罗已经离开房间了。没想

到，伯爵的侍童却眉头深锁地来找苏珊娜。原来，这个侍童长得眉清目秀，又很机灵，伯爵府里许多年轻的女仆都喜欢他。前些天，侍童和园丁的女儿在花园约会时，正好被伯爵撞见，于是伯爵想把他送去从军，免得他惹是生非。他知道苏珊娜对伯爵夫人的影响力，所以想拜托苏珊娜在伯爵夫人面前为他说好话，转而去影响伯爵不要遣走他。

正在拜托时，伯爵突然来了，侍童只好躲到沙发后面。伯爵以为屋中没有其他人，大胆地吐露他对苏珊娜的爱意。这时，音乐教师也来了。换伯爵慌张地躲到沙发后面，而原来在沙发后面的侍童只好跳上沙发，苏珊娜及时用衣服盖住他。

音乐教师喜欢说人家的是非，他说侍童喜欢伯爵夫人的消息，让伯爵气得从沙发后面跳出来，把音乐教师吓了一跳。当伯爵拿开沙发的衣服，发现侍童竟躲在那里，更是暴跳如雷，准备好好处罚苏珊娜。

这时，费加罗带着一群村姑，捧着花来到伯爵面前，大家齐声称赞伯爵的仁慈与圣洁的心，让伯爵拉不下脸来处罚任何人。

第二幕

伯爵夫人独自待在房中，唉声叹气。最近她发现，伯爵对她越来越冷淡，她怀疑伯爵移情别恋了。苏珊娜适时地进来，一五一十地向她说明伯爵的行为。费加罗也吹着口哨进入伯爵夫人房间，声称自己想到一个妙计可以教训教训伯爵，就是夫人假装要和另一个男人约会，这封约会的匿名信要让伯爵看到，让他生起嫉妒的心。同时，苏珊娜要假意答应伯爵的约会。到时候再派穿苏珊娜衣服的侍童去赴约，最后伯爵夫人再出现，应该可以惩罚伯爵，并让他回心转意。

三个人都认为这是个完美的计划，于是费加罗离开去筹备。穿着军服的侍童随后走进夫人房间，向夫人和苏珊娜辞行。两人要侍童别急着走，锁上房门为他改装。但因少了一条缎带，苏珊娜离开房间去别处拿。

这时，伯爵回来了，看见房门深锁，敲了一阵门，夫人又没有立刻开门，立刻起了疑心。而在房里的夫人听到急促的敲门声，吓得把侍童藏进化妆室，并嘱咐他不可出声。

进了门的伯爵嗅出房中诡异的气氛，又听到化妆室里，侍童因为惊慌而打翻桌椅的声音，因而大声责问：是谁在里面？夫人骗他，苏珊娜在里面整理东西。伯爵不相信，坚持让夫人打开化妆室。吓坏了的侍童只有慌张地从窗户跳出去。在另一个房间拿好缎带的苏珊娜及时躲进化妆室，所以当伯爵打开化妆室时，的确是苏珊娜在里面，伯爵哑口无言。因此换成两个女人嘲笑他，说他疑心太重，醋劲太强。

而跳出窗外的侍童又引起另外一阵混乱，把情况弄得更复杂了。

结婚典礼的准备工作已经就绪。伯爵急于知道苏珊娜是否愿意和他约会。因为已经和伯爵夫人计划好，所以苏珊娜假装答应了。

可是女管家可不允许婚礼举行，吵吵闹闹地要伯爵帮忙裁决，她还拿出当年费加罗签字的契约书做证明。慌乱中，费加罗只好声称，他的婚姻必须得到父母的认可，才能和女管家成亲。但是因为他小时候被土匪掳走，到现在还四处寻找自己的亲生父母呢！为了证明所言不虚，他卷起袖子，给大家看他手臂上奇特的痣。

这时，女管家和医生尖声大叫起来，指认费加罗就是他们当年

被土匪掳走的小孩。原来,女管家年轻的时候是医生的女仆,他们曾经有过一段情,爱情的结晶正是费加罗。由于太高兴了,三个人不禁紧紧地拥抱在一起。

费加罗的问题已解决了,苏珊娜的问题比较棘手。但是婚礼还是在预定的时间内举行。婚礼进行中,伯爵夫人写的那封信,由苏珊娜偷偷塞给伯爵,假装答应晚上在花园的约会。

第四幕

夜深了,花园旁左右两侧的小屋,可以看到幢幢的人影。费加罗带着一批人躲在暗处,想要逮住偷偷约会的伯爵。伯爵也躲在花园的一角,希望苏珊娜出现。苏珊娜和伯爵夫人则换穿衣服,在花园中跑来跑去。

黑暗中,一阵鸡飞狗跳,大家都弄不清谁是谁了。最后,伯爵发现,费加罗竟和伯爵夫人相拥在一起,非常生气,命令家丁侍卫点燃火把,准备捉拿费加罗。当然这才发现,只不过是苏珊娜假装的而已。然而这一切混乱的起因,全因伯爵不善的念头而起。所以,伯爵跪在夫人面前发誓,一定会痛改前非。深爱丈夫的夫人立刻宽恕了他,府邸里所有的人因而欢声合唱。故事有了圆满的结局。

歌剧《费加罗的婚礼》背后的故事

莫扎特定居维也纳之后,陆续创作了几部受欢迎的歌剧。其中,《后宫诱逃》算是相当成功。然而,当时希望成为有名的歌剧作曲家,必须写出成功的意大利歌剧。基于这个理由,莫扎特努力寻找可以让他成名的歌剧剧本,没多久,他就注意到这部由博马舍所写的《塞维利亚的理发师》及它的续集《费加罗的婚礼》。

博马舍,曾经担任过公主的音乐教师,也当过政府官吏,亲眼目

睹当时王公贵族奢华、淫乱的生活，决定转而投入剧作家的工作，写出深刻讽刺的作品。当时，《费加罗的婚礼》曾被禁演三年之久。

莫扎特很喜欢他的原作，但为了避免不必要的困扰。莫扎特和剧作家达·彭特经过多次讨论，将剧情简化，由五幕改成四幕，登场人物由十六名减为十一名，并刻意避开可能引起当政者反感的名字或字眼。但是，剧作的讽刺内容丝毫不减。

1786 年 5 月 1 日，《费加罗的婚礼》在维也纳布尔格剧院首演，得到热烈的欢迎，但仍因内容讽刺贵族社会，而不再续演。

幸好，布拉格的民众很喜欢。1786 年 12 月，《费加罗的婚礼》在布拉格上演，获得空前的成功，后来莫扎特因此被邀请至布拉格发表其他的作品，都受到热烈的欢迎，让他终生难忘。

不仅布拉格观众，后来观赏过《费加罗的婚礼》的人，都一致称赞此剧是莫扎特所有歌剧中的杰作。剧中的音乐轻快明亮，洋溢着优雅的气质；曲调旋律丰富、优美、多变；主角人物有完美的描写，对白充满妙趣，是喜歌剧中的极品。

莫扎特也因为此剧，才真正扬名于歌剧界。

《唐·乔凡尼》

歌剧《唐·乔凡尼》是二幕的喜歌剧。主要人物有：唐·乔凡尼、司令官、安娜、安娜的未婚夫、埃尔韦拉（被乔凡尼遗弃的贵妇）、男仆、村姑及其丈夫。故事背景为 17 世纪的西班牙某一个城市。

第一幕

深夜，在司令官的府邸前，男仆焦急地走来走去，唉声叹气怨自

己的命运不好，跟着一个好色的主人，常常要做一些违背心愿的事情。这时，他的主人唐·乔凡尼遮着脸，被安娜扯着衣服从屋子里跑出来，吓得男仆躲到一旁的树后，不知如何是好。

随后，司令官，也是安娜的父亲，拿着剑从屋子里追出来。因为乔凡尼在深夜偷偷地跑进女儿的房间，想要非礼她，司令官坚持要和他决斗。但是因为年老体衰的缘故，司令官很快就被乔凡尼刺中要害，倒在血泊中死了。这可把乔凡尼和男仆吓坏了，急忙逃走。

跑去找救兵的安娜带着未婚夫回来，看到父亲倒在血泊之中，心里非常悲痛，发誓一定要复仇。

接近黎明时，乔凡尼和男仆仍在赶路，遇见一个漂亮的贵妇，乔凡尼又打算勾引她，等到见面一看，才发现是被他遗弃的埃尔韦拉。埃尔韦拉生气地骂他是个忘恩负义的家伙，乔凡尼却趁她不注意时逃走了。

为了安慰愤怒的埃尔韦拉，男仆拿出一本笔记簿，里面记满了乔凡尼交往过的女人，为的是告诉她，倒霉的不只她一个人而已。知道自己受骗了，埃尔韦拉也发誓一定要报仇。

离开埃尔韦拉的乔凡尼，独自一个人走在乡间的小路上，正好遇上农庄要举行婚礼。花心的乔凡尼立刻又看上美丽的村姑新娘，建议她到他的别墅举行婚礼，其实是想要趁他们单独相处时吃她的豆腐。村姑的丈夫虽然极力反对，却被乔凡尼拿剑吓跑了。幸好埃尔韦拉及时出现，营救了村姑。

这时，安娜带着未婚夫循线找到婚礼现场，但是又被乔凡尼溜走了。不过他们知道一个可靠的消息，婚礼即将移到乔凡尼的别墅举行，所有的村民都获邀参加。在农庄里，他们也认识了埃尔韦拉，三个人同意联手对付乔凡尼。

这天晚上，当热闹的婚礼在别墅里要举行时，埃尔韦拉、安娜和她的未婚夫戴着面具，化了妆，也混在村民之中。

虽然村民很多，乔凡尼却不断地去挑逗新娘，让新郎觉得很不是滋味。乔凡尼甚至命令男仆去绊住新郎，自己偷偷地把新娘带到另一个房间。幸好这一切都让安娜他们三人瞧见了，故意从中破坏，并让所有的村民亲眼瞧见，大家当然交相指责乔凡尼的不是。

第二幕

因为引诱村姑没有成功，乔凡尼转而想引诱埃尔韦拉的女仆。他威胁利诱男仆和他换衣服，然后一起到埃尔韦拉的窗外唱情歌，假装认错，求她宽恕。埃尔韦拉因为心里还爱着他，竟然相信了。

这时，多方人马都想追捕乔凡尼，要好好惩罚这个色狼，但是误认了男仆。经过一番辛苦的解释，男仆在大家查证当中趁机溜走了。另一边的乔凡尼，知道惹怒了所有的人，也不敢贸然回到别墅，就趁着黑夜躲到墓园去。阴森森的墓园总是令人害怕，但是乔凡尼却仍嘻皮笑脸的，对来会合的男仆吹嘘自己的猎艳战果。

当他们走到司令官的坟墓前，司令官的石像开口对他说："你的狂笑只到今天晚上！"

乔凡尼仍然不知检讨，反而邀请石像当天晚上到他家用餐。

果真，乔凡尼准备了一桌子的菜，并有乐师在一旁演奏音乐。乔凡尼大吃大喝等待石像出现。没多久，石像来敲门了，大家都被吓得魂不附体，躲在屋子的角落发抖，唯有乔凡尼还是一副不肯认错的模样。

石像表示，他不是来吃饭的，是来带乔凡尼去参观一个地方。石

像要乔凡尼和他握手作为承诺的证明。等彼此握住手,石像再度要乔凡尼悔改,但是乔凡尼仍顽强地大声说:“不!”

这时,大厅四周突然冒出烈火,大地震动,还裂开一个大缝,魔鬼的怪叫声从地底传出来。乔凡尼因为烈火的烧烤,痛苦地哀号,很快掉入裂缝中,地面复合,大厅又恢复原来的模样。只是每一个人的脸上都露出不可置信的表情。

乔凡尼被大地吞噬后,安娜和她的未婚夫、埃尔韦拉及男仆,都异口同声地说:“这是恶人应有的下场!”

歌剧《唐·乔凡尼》背后的故事

歌剧《唐·乔凡尼》又名《被惩罚的淫荡者》。原题中的“唐”,是意大利语中“先生”的意思。剧作家是达·彭特,他也是《费加罗的婚礼》和《女人皆如此》的剧作家。此剧是他根据另一个剧本《石像客》改写而成。而剧中的唐璜(意大利名为唐·乔凡尼)是14世纪前西班牙的传说人物,经过改写为风流的角色,使得此部歌剧被形容为18世纪最恐怖的恶魔式作品。

话说,莫扎特的《费加罗的婚礼》在布拉格得到热烈的欢迎,布拉格剧院经理彭第尼和音乐家杜塞克夫妇立刻写信邀请莫扎特,前往观赏该剧演出的盛况。因为当时《费加罗的婚礼》在维也纳并未受到注目,所以听到这个好消息,莫扎特高兴地带着妻子康兹坦丝前往。

1787年1月17日,莫扎特出现在上演《费加罗的婚礼》的现场,观众用热烈的掌声欢迎他。为了回报他们的热情,20日莫扎特亲自上场指挥乐团,现场观众为之疯狂。接下来,他停留在布拉格的期间,还指挥了他在前一年所作的《第三十八号交响曲》(后来称为《布拉格交响曲》),也现场即兴演奏钢琴,使他立刻成为布拉格的热门人物。因此,剧院经理彭第尼以一百杜卡特(当地的钱币名)的优厚酬劳,委托再写一部新歌剧。因而有《唐·乔凡尼》这部歌剧的产生。

其实,这一切还要归功于杜塞克夫妇。杜塞克是一位钢琴家和音乐教师,他的太太约瑟芬是一位有名的女高音。他们于1777年在萨尔兹堡认识莫扎特,一直很欣赏他的才华,不仅写信邀请他,还在莫扎特停留于布拉格的期间热情招待他。

尤其是1787年9月,莫扎特和康兹坦丝带着未完成的草稿到达布拉格,杜塞克夫妇让出他们位于郊外的高级别墅,让莫扎特夫妇住在里面,专心谱曲。

此剧的序曲直到首演的前两天才开始谱写。那天晚上,康兹坦丝负责在一旁为莫扎特说笑话、说故事,提醒莫扎特不要睡着了。可是因为连续工作的关系,莫扎特实在太困了。康兹坦丝只好答应他,小睡一个小时后一定叫醒他,莫扎特这才肯趴在桌上,而且立刻就睡着了。只是他实在太累了,睡了两个小时才被摇醒。那时已是10月28日清晨五点钟。七点钟,当抄谱员前来敲门时,序曲已经全部完成。

1787年10月29日,《唐·乔凡尼》在布拉格剧院首演,大获成功。因为《费加罗的婚礼》一剧已经风靡布拉格的莫扎特,此刻再度掀起风潮。尤其当莫扎特站到乐队池中,准备亲自指挥时,观众热烈的掌声几乎掀翻了剧院的屋顶。首演之后,布拉格乐评家极力称赞,一致认为它是在布拉格演过的歌剧中最优秀的作品。

挟着在布拉格受欢迎的热潮,《唐·乔凡尼》也搬到维也纳演出,虽然为了迎合维也纳的观众做了若干的修订,但仍然没受到维也纳民众的青睐……

《女人皆如此》

歌剧《女人皆如此》是二幕的喜歌剧。主要人物有:姐姐、妹妹、女仆、费兰多(妹妹的未婚夫)、古烈摩(姐姐的未婚夫)、老光棍。故事背景为1790年的那不勒斯。

第一幕

在拿波里的一间咖啡馆里,古烈摩、费兰多和老光棍一边喝咖啡一边聊天。两位年轻的男士夸赞自己的未婚妻美丽、贤惠又忠贞。老光棍却唱反调,主张女人只要有别的机会,就会背叛旧情人。两位年轻人都认为不可能。老光棍因而和他们以一笔丰厚的赌金打赌。

而被蒙在鼓里的两姐妹正在房里,端详自己的未婚夫的画像,沉浸在爱情的喜悦中。

这时,老光棍通知两姐妹,她们未婚夫即将赴战场。两个年轻男士随着上场,与心上人话别后,匆匆地跟上出征的队伍。两姐妹则哭着要情人每天写信给她们。

回到家中,两姐妹还泪痕未干,女仆却在旁边兴风作浪说,军人不可能会对女人忠贞。然后她极力主张女人也可以逢场作戏。原来老光棍已经说服她,两人要联手演这出戏,好赢得赌注。

没多久,化妆成阿尔巴尼亚贵族的古烈摩和费兰多来拜访两姐妹,并且对她们表露爱意,这可把两姐妹吓坏了,生气地要他们离去。

第二幕

老光棍当然不肯服输,找来女仆想出另一个计谋:要两位青年在爱人面前服毒自杀。

看到两个陌生人为了她们而自杀,两姐妹感动之余,开始有些心

动。老光棍又故意带她们去探望那两位异邦人。两位异邦人感谢两姐妹的相救,再度表露他们的爱意。妹妹把持不住,爱上由古烈摩改装的异邦人。这让她的未婚夫费兰多伤心透了。

突然发生这么多事情,姐姐很难过,打算女扮男装前往战场,寻找未婚夫。没想到费兰多却出现在她面前,清楚地表示,若是不接受他的爱,他将以死殉情。姐姐真的被他感动了,两人热情地拥抱在一起。

接下来,假装成证婚人的女仆在结婚典礼上指挥一切,就在宣读婚约时,号角响起,军队回来了。混乱中,两个年轻人恢复原来的身份,走进结婚礼堂,质问为什么举行结婚典礼。又惊又喜的两姐妹据实以告,并且低头认错。两位年轻人原谅了她们。一切由他而起的老光棍却在旁边说风凉话:“女人毕竟是女人,女人皆如此啊!”

歌剧《女人皆如此》背后的故事

1787年,奥皇约瑟夫二世因为宫廷作曲家格鲁克去世,改而委任莫扎特担任此职。然后于1789年8月命令莫扎特谱写《女人皆如此》这部新歌剧。

此剧的题材是根据当时流行于维也纳社交圈的故事,经过达·彭特发展而成(达·彭特也是《费加罗的婚礼》及《唐·乔凡尼》的剧作家)。当时,达·彭特在剧本封面题下两个名字:“《女人皆如此》或《恋爱学校》”,所以这部歌剧又称为《恋爱学校》。

莫扎特原本并不喜欢这部作品,因为剧中两对愚蠢的年轻人,被一个老光棍和一个满场飞的女仆捉弄得团团转,实在不讨人喜欢。而且剧中无趣的对白与情节一再重复,更难引起观众的兴趣。可是身为宫廷作曲家,无权挑选题材,也不能评断剧本优秀与否,只有想办法谱写出来。

不过,莫扎特是个了不起的作曲家,把那些无趣、重复的情节与对白,转化成活泼、有趣的音乐,并在短短的三个月内就完成了。

1790年1月26日,就在莫扎特三十四岁生日的前一天,这部歌剧在维也纳布尔格剧院首演,还算成功。但是2月20日,约瑟夫二世驾崩,这部歌剧因而暂停演出。然而,时至今日,这部喜歌剧已成为世界重要歌剧院的基本戏码之一。

《魔笛》

歌剧《魔笛》是二幕的歌唱剧。主要人物有:智者、王子、夜女王、公主、帕帕吉诺(捕鸟人)、帕帕吉娜、摩尔人、三位侍女、三个精灵。故事背景为假想时代的埃及。

第一幕

王子因手中弓箭用尽而被大蛇追赶,惊吓过度昏倒在一处宫殿的门口。手持银色标枪的三位侍女走出宫殿,杀死大蛇,又退回宫殿。

王子醒来时,发现大蛇已死,正纳闷谁解救了他时,穿着羽毛衣、怪模怪样的帕帕吉诺吹着排笛出现了。他说大蛇是他杀死的。这时,宫殿大门打开,三位侍女走出来,指责帕帕吉诺说谎,并用锁扣锁住他的嘴巴。然后她们拿出公主的画像给王子看,告诉他,如果他愿意去解救被智者抓走的公主,将可得到幸福、荣誉与名声。

王子承诺会去解救公主。这时雷声隆隆响起,夜女王坐在布满星辰的王座上,出现在王子面前,她答应只要王子可以救回女儿,愿意把女儿许配给他。

为了帮王子的忙，侍女解下帕帕吉诺嘴上的锁扣，并给了他们一支魔笛和一只银铃，说明，只要遇到困难，吹奏魔笛或摇动银铃就会有不可思议的事情发生。

在智者的宫殿里，摩尔人正在捉弄公主，帕帕吉诺正好由窗外往里面张望，他的怪模怪样吓走了摩尔人，因而解救了公主。这一次，帕帕吉诺学乖了，他老实地告诉公主，王子正赶来营救她。

然而，王子要带走公主必须通过考验。三个精灵引领王子到标示“睿智门”、“理性门”和“自然门”的地方，要他接受考验。王子不知该如何选择，只好吹起魔笛。笛声响起时，森林中的小鸟跟着啼叫，动物都静静地聆听。当他的笛声停下来，他听到帕帕吉诺的排笛声，朝他这边靠近。就在他们快要会合时，摩尔人追过来了，帕帕吉诺只好摇起银铃求救，不可思议的事情发生了，摩尔人无法控制自己的手脚，跳起舞来，无法继续追他们两人。

第二幕

智者出来鼓励王子接受考验，并向公主解释为何将她带离母亲身旁，因为她的母亲邪恶、傲慢，会影响她的善良。

为了和公主结婚，王子和帕帕吉诺首先接受“沉默”的考验。三位侍女出现在黑暗中，问他们话，王子没有作答，侍女骂他忘恩负义，他也不反驳。但是帕帕吉诺聒噪不休，突然有个老太婆出现在他们面前，自称有个情人叫帕帕吉诺。帕帕吉诺正想继续追问，老太婆却被雷声吓跑了。

另一边，夜女王偷偷地出现在女儿身旁，塞给她一把匕首，要她找机会刺杀智者。几天的相处，公主感受到智者的仁慈，不愿刺杀他，甚至求智者原谅自己的母亲。

通过“沉默”的考验后，王子带着公主接受烈火和瀑布的考验。过程艰苦万分，但是两人更了解彼此。公主还告诉王子魔笛的由来。那是公主的父亲在暴风雨的深夜，采取千年樫树的树心，加入魔法制成的。只要吹响魔笛，任何的魔法都不必害怕。

于是，两人手牵手，握着魔笛，通过困难重重的水火考验。与此同时，帕帕吉诺也在花园找到他的情人——帕帕吉娜，此刻她已经变成年轻女孩的模样，让帕帕吉诺非常高兴。

最后，象征光明的太阳升起驱走黑暗，夜女王被打败了，大家唱出“黑夜已去，阳光普照”的快乐歌声，幕缓缓落下。

歌剧《魔笛》背后的故事

莫扎特在世的最后一年，家庭经济不好，让他身心俱疲。上半年他有机会去英国谱写两部歌剧，却因旅费没着落而作罢。正在烦恼时，剧院经理席卡奈德拿着《魔笛》的剧本草稿找上他。

席卡奈德年轻的时候就投入戏剧工作，自己写剧本，也担任演员。他 1791 年找上莫扎特时，因为剧院经营不善即将倒闭，他希望能和莫扎特合作，演出一部轰动的歌剧，挽救他的剧院。而为了迎合当时维也纳观众的口味，他将神话或传说中的巨人、精灵、巫师、邪恶女神等各种魔幻角色，统统写入草稿中。然而莫扎特并不喜欢，经过多次讨论与大幅度的修改，几乎完全改变了原来的初稿，才让莫扎特稍稍满意。

在修改的过程中，因为莫扎特和席卡奈德都是共济会的成员，而且莫扎特已经是“师傅”的等级，为了推广共济会所宣扬的人道精神，莫扎特希望能把这种精神暗藏于歌剧之中。当然，最主要的原因是，共济会是个秘密结社，不能公开活动。早年玛丽亚女皇就不喜欢这个组织，继位的约瑟夫二世虽然表示好感，也不禁止他们活动，但是1790年继位的利奥波德二世又采取禁止的态度。所以，如何将共济会的理念巧妙地镶入歌剧之中，是莫扎特和席卡奈德的讨论重点。

等到《魔笛》定稿时，剧中的主要角色、布景和剧情都好像意有所指：夜女王隐约指的是玛丽亚女皇，智者是共济会的领导者波恩伯爵；剧中从黑暗过渡到光明、友爱和行善的象征仪式，王子通过考验净化自己……等等，使得原来是古老传说的歌剧，突然移叶接枝变成共济会的故事。

然而也因为这些缘故，使得这部歌剧显得荒诞可笑、支离破碎。部分剧评家批评，若不是还有多彩多姿的音乐，《魔笛》可能沦为小剧院的三便士歌剧。就因为莫扎特加入，借着他优异的音乐天赋，从强而有力的序曲，到呈现阳光、花香与欢笑的终曲，每一个段落都被赋予旺盛的生命力，并透过音乐，深入浅出地刻画出每一个登场的人物。

当年，为了让莫扎特专心谱写这部歌剧，席卡奈德用他仅剩的钱，在剧院旁的花园里盖了一座小木屋，让莫扎特住在里面不受打扰。这座小屋，后来因为市地重划，被移送到萨尔兹堡卡普齐纳山的山坡上，现在则重新修整，放置于莫扎特音乐学院中，以“魔笛小屋”的名字公开展示。

1791年9月28日，莫扎特才写完《魔笛》的序曲，9月30日就在维也纳席卡奈德的戈登剧院首演，席卡奈德也上场轧了一个角色，担任捕鸟人帕帕吉诺。首演当天，因为歌剧剧情繁复、不合逻辑，观众看不懂，并未得到欢迎。可是，随着每天的演出，观众逐渐接受它。然后，上演的次数越来越多，根据席卡奈德的记录，1791年10月，

已有二十四场的演出记录。到了1792年11月3日,演出第一百场。1795年10月22日,则演出第二百场。

《魔笛》的受欢迎,肯定了莫扎特德国歌剧的地位。但是后人更推崇此剧,认为此剧的音乐综合了意大利歌剧、宗教音乐、庄歌剧和谐歌剧的各种要素,使声乐、管弦乐和演剧都达到最高的境界,因而站上德国歌剧金字塔的顶端,成为众所瞩目、历久不衰的歌剧巨作!

《狄托王的仁慈》

歌剧《狄托王的仁慈》是二幕的庄歌剧。主要人物有:狄托王、塞斯特(大臣,也是狄托王的好友)、维多利亚(前皇的女儿)、卫兵。故事背景为罗马狄托王时代。

第一幕

狄托推翻前一任皇帝,自立为王。等政权稳定后,他想娶犹太希律王的公主为皇后。但是前皇公主维多利亚却认为自己才是最佳人选,心里非常不高兴,因而唆使对自己有好感的塞斯特,要暗杀狄托王。

塞斯特是狄托王的好友,也很欣赏他开明的作风,但是单方面的爱情使他盲目,为了博取维多利亚的好感,他同意去执行这项困难的行动。

就在塞斯特正寻找恰当的时机时,狄托王告诉他,想立他的妹妹为后,塞斯特因此不敢贸然行动。但是,狄托王后来知悉塞斯特的妹妹其实心有所属,为了成全她,便打消了原来的念头。

这一天,禁卫队长拿着一份罪犯名单,请求狄托王给予重罚。

狄托王看过后表示,这些人只是行为轻率而已,不该重罚,薄惩后可以释回。这样的行为,让塞斯特更犹豫了,他实在不忍心暗杀一位仁民爱物的国王。但是维多利亚却命令他,一定要执行!

为了他的爱,塞斯特发誓一定会执行。就在他离开去准备时,消息传来,狄托王要立维多利亚为后。维多利亚四处去找塞斯特,想要阻止他的行动,但是已经来不及了,熊熊大火从皇宫的四周烧起,维多利亚惊慌地逃出来。好不容易找到吓得发抖的塞斯特,维多利亚严厉地要塞斯特发誓,不准泄漏主使者。

第二幕

狄托王从火场中逃出来,安然无恙,但是他必须找出纵火者。为了保护维多利亚,塞斯特愿意承担所有的一切。看到自己信任的好友做出这件事,狄托王无法相信。本来想赦免他的罪,但是元老院已经发出死刑书,狄托王不得不在死刑书上签名。但是,他还是私底下把塞斯特带到另一个房间,希望他能说出主使者。

塞斯特信守承诺,不肯说出主使者,狄托王心中非常感慨。

一直担心塞斯特会泄漏秘密的维多利亚觉得很羞愧,鼓起勇气向狄托王自首。

狄托王知道自己的新娘才是主使者,更是惊讶,但也因此领悟,因为争权夺位才引来这些争端,唯有宽恕所有的人,才能化解仇恨。

最后,故事就在大家歌颂狄托王是个仁慈的国王中结束。

歌剧《狄托王的仁慈》背后的故事

1791年,莫扎特在世的最后一年,7月以后他同时进行三部创作:第一部是已经着手进行的《魔笛》,第二部是神秘黑衣使者委托的《安魂曲》,第三部则是即将于9月6日在布拉格举行、利奥波德二世加冕大典用的庆贺歌剧《狄托王的仁慈》。

剧本采用维也纳宫廷诗人梅塔斯塔兹的原作，经过马佐拉改写。莫扎特对于马佐拉的改写非常满意，而且主题切合庆典的需要。

莫扎特于7月中旬接受委托，只有一个多月的时间可以谱曲，但因为他手边仍有《魔笛》和《安魂曲》的工作，直到8月底离开维也纳，在前往布拉格的路上，他才真正动笔。8月28日抵达布拉格，9月5日把序曲写完，总共只花了十八天的时间，并做好总彩排。《狄托王的仁慈》顺利地在9月6日的庆典上演出。

但由于是在短时间内完成的，管弦乐的部分写得比较简洁，咏叹调也都短小。

莫扎特重要记事

年份	年龄	事件
1756年		1月27日出生于奥地利的萨尔兹堡
1760年	四岁	开始作曲，让爸爸很吃惊
1762年	六岁	到慕尼黑、维也纳宫廷演奏，被誉为“音乐神童” 玛丽亚皇后赠送给他和姐姐一人一件漂亮的衣服
1763年	七岁	全家开始为期三年的巡回演出 在巴黎出版四首小提琴奏鸣曲（K6—K9）
1764年	八岁	在英国伦敦大受欢迎 出版六首奏鸣曲献给王后与巴赫的儿子 和长他二十岁的约翰·巴赫结成莫逆之交
1765年	九岁	绕道荷兰、日内瓦返回萨尔兹堡
1767年	十一岁	到维也纳，与姐姐同罹患天花 和米歇尔·海顿、阿德加瑟尔合作完成清唱剧《第一戒律的责任》 为大学节日创作了拉丁文喜歌剧《阿波罗和亚森图斯》
1768年	十二岁	完成独幕歌唱剧《牧羊人与牧羊女》 完成歌剧《善意的谎言》
1769年	十三岁	在主教节演出《善意的谎言》 12月11日往意大利去游学 用拉丁文为自己取名沃尔夫冈·阿玛迪斯·莫扎特

1770年	十四岁	成为波隆纳爱乐乐团成员 获教廷颁金十字骑士勋章 写作歌剧《彭特王米特里达特》
1771年	十五岁	在米兰首演意大利歌剧《阿尔巴的阿斯卡尼奥》 完成清唱剧《解放了的贝图里亚》 萨尔兹堡的大主教去世
1772年	十六岁	新主教入主萨尔兹堡 在米兰首演意大利歌剧《卢桥·西拉》 创作七首交响曲
1773年	十七岁	于米兰作《欢欣、雀跃》 认识海顿爸爸 回到萨尔兹堡
1774年	十八岁	完成《萨尔兹堡交响曲》
1775年	十九岁	在慕尼黑首演喜歌剧《假女园丁》与《牧羊人国王》 完成五首小提琴协奏曲（K207、K218、K211、K219）
1776年	二十岁	完成《夜晚》、《哈夫纳》、《F大调嬉游曲》、《D大调嬉游曲》
1777年	二十一岁	完成《第九号降E大调钢琴协奏曲》、《降B大调嬉游曲》 辞去宫廷乐师的职务 和母亲前往慕尼黑、曼罕

1778年	二十二岁	与爱洛希雅恋爱 前往巴黎 7月3日妈妈在巴黎过世
1779年	二十三岁	获得萨尔兹堡宫廷管风琴演奏家的职务
1780年	二十四岁	谱写歌剧《伊多梅诺》 在萨尔兹堡过着无趣的日子
1781年	二十五岁	歌剧《伊多梅诺》在慕尼黑首演 与新主教决裂，愤而提出辞职函
1782年	二十六岁	在维也纳首演歌剧《后宫诱逃》 和康兹坦丝结婚 开始写作《海顿弦乐四重奏》
1783年	二十七岁	完成《第三十六号交响曲》与第二、三号降E大调法国协奏曲 长子出生，四个月后夭折
1784年	二十八岁	开始以自由作曲家方式维生 完成《第十四至十八号古钢琴协奏曲》 加入共济会
1785年	二十九岁	完成第二十、二十一号古钢琴协奏曲 出版六首弦乐四重奏，上面题字：献给海顿 次子卡尔出生 以钢琴家与作曲家身份获得极高名声

1786年	三十岁	在美泉宫花园剧场首演《剧院经理》 在维也纳首演《费加罗的婚礼》 完成《第三十八号交响曲》 三子出生，未满月即夭折
1787年	三十一岁	贝多芬上门求教 因为《费加罗的婚礼》在布拉格演出受到欢迎，受邀前往布拉格，并演出《第三十八号交响曲》（又称《布拉格交响曲》） 完成《弦乐五重奏》（K515、516） 父亲去世 在布拉格首演歌剧《唐·乔凡尼》 被任命为宫廷作曲家
1788年	三十二岁	经济渐困窘 完成第三十九、四十、四十一号交响曲 发表《第二十 六号古钢琴协奏曲——加冕》
1789年	三十三岁	走访布拉格等地 谱写《女人皆如此》 完成《单簧管五重奏》(K581)
1790年	三十四岁	在维也纳首演歌剧《女人皆如此》
1791年	三十五岁	幺子佛朗兹出生，健康地存活下来 发表《第二十七号古钢琴协奏曲》、《单簧管协奏曲》 在布拉格首演歌剧《狄托王的仁慈》 在维也纳首演歌剧《魔笛》 创作《安魂曲》但没有完成 12月5日凌晨去世

后记

看完莫扎特一生的介绍，大家是不是和我一样，脑中冒出许多的“?”和“!”呢!

这位个儿不高、脸上有些麻子、鼻子大大的年轻人，脑子里是不是藏着弹簧?电灯泡?或什么稀奇古怪的机关?要不然为何能在短短的三十五年内，作出那么多震撼人心的美妙作品?

或者，他也有一个像多啦A梦的好朋友，随时可以从魔术口袋里拿出许多可以刺激他想象的宝贝……

要不就是，他家里有一个专门放“创意”的聚宝盆，就算他饿得前胸贴后背，只要他从聚宝盆里取出一个创意，一样可以创作出具有生命力的作品……

但是，这一切等我看完五千三百本有关莫扎特的传记，听了六百遍他所有的曲目，又夜以继日地坐在电脑前，上网搜寻各种资料，直到眼珠子差点掉下来。到最后，连梦里都是莫扎特的身影时……

唉！我终于知道了！

这一切，是因为他好好地利用了一分天赋，再加上九十九分努力的缘故。所以，他才为自己取名为神所宠爱的沃尔夫冈·阿玛迪斯·莫扎特！

你呢？为你的“？”和“！”找到答案了吗？